P9-DHT-606

#24
Canoga Park Branch
20939 Sherman Way
Canoga Park, CA 91303

DEC 1 1 2007

EL NIÑO Y SU MUNDO

Juegos para aprender y estimular los sentidos

Jackie Silberg

Ilustraciones de Kathy Ferrell

S
370.152
S582-6

1812 10098

ONIRO

1812 10098

Título original: *Learning Games: Exploring the Senses Through Play*
Publicado en inglés por Gryphon House, Inc.

Traducción de Joan Carles Guix

Diseño de cubierta: Valerio Viano

Fotografía de cubierta: Stock Photos

Ilustraciones del interior: Kathy Ferrell

Distribución exclusiva:
Ediciones Paidós Ibérica, S.A.
Avda. Diagonal 662-664, Planta Baja – 08034 Barcelona – España
Editorial Paidós, S.A.I.C.F.
Defensa 599 – 1065 Buenos Aires – Argentina
Editorial Paidós Mexicana, S.A.
Rubén Darío 118, col. Moderna – 03510 México D.F. – México

Quedan rigurosamente prohibidas, sin la autorización escrita de los titulares
del *copyright*, bajo las sanciones establecidas en las leyes, la reproducción total
o parcial de esta obra por cualquier medio o procedimiento, comprendidos la
reprografía y el tratamiento informático, y la distribución de ejemplares de ella
mediante alquiler o préstamo públicos.

© 2006 Jackie Silberg

© 2007 exclusivo de todas las ediciones en lengua española:
    Ediciones Oniro, S.A.
    Muntaner 261, 3.º 2.ª – 08021 Barcelona – España
    (oniro@edicionesoniro.com – www.edicionesoniro.com)

ISBN: 978-84-9754-261-6
Depósito legal: B-5.584-2007

Impreso en Hurope, S.L.
Lima, 3 bis – 08030 Barcelona

Impreso en España – *Printed in Spain*

Índice

Índice

Introducción

El mundo está lleno de cosas que descubrir,
cosas que deleitan los sentidos

Explora a través del sentido del oído:
- sirenas
- lluvia
- trueno
- vibraciones
- susurro
- música suave

Descubre a través del sentido de la vista:
- arco iris
- familia
- libros
- letras del alfabeto
- pájaros
- flores

Percibe a través del sentido del tacto:
- manos
- texturas
- frío y caliente
- pompas, burbujas
- húmedo y seco

Huele a través del sentido del olfato:
- flores
- tarta de manzana
- humo
- olor de los pies

Disfruta a través del sentido del gusto:
- alimentos
- dulce, amargo y salado
- yogur
- chocolate

Déjate llevar por tus oídos, tus ojos, tu boca y tus manos mientras exploras el entorno cotidiano a través de los sentidos.

CAPÍTULO 1

EL SENTIDO DEL

Oído

¡Escucha! ¿Qué oyes? El sonido que percibes puede ser suave como una fina lluvia al caer o fuerte como la sirena de una ambulancia. Los sonidos están en todas partes, y tienes dos partes del cuerpo que te permiten apreciarlos: los oídos. Los oídos captan los sonidos, los procesan y envían señales acústicas al cerebro. Y una cosa más: tus oídos también te ayudan a mantener el equilibrio.

Los juegos de este capítulo exploran el funcionamiento de los oídos, cómo identifican los sonidos y hasta qué punto el sentido del oído contribuye al disfrute y aprendizaje en la vida.

Aspectos interesantes acerca de los oídos, los sonidos y la audición

- Las ballenas jorobadas se comunican mediante impulsos acústicos y reclamos que suenan como canciones. Una ballena puede oír el canto de otra situada a kilómetros de distancia.
- Los perros de compañía se pueden adiestrar para identificar muchos sonidos: alarmas de incendio y humo, timbre del teléfono, llamada a la puerta, timbre de la casa o llanto de un bebé.

- Los grillos oyen con las patas. Las ondas acústicas hacen vibrar una fina membrana situada en las patas delanteras.
- Algunos niños y adultos tienen dificultades para percibir determinados sonidos, y para que oigan mejor, usan un pequeño dispositivo de ayuda, situado en el interior o exterior de la oreja.

El siguiente poema habla de la vibración, uno de los componentes del sonido:

La vibración mueve el aire,
y eso produce el sonido.
Escucha, pues, niño mío,
y verás qué divertido.
                    Jackie Silberg

Disfruta de este divertido poema acerca de las orejas:

¿Dónde llevas las orejas?
¿Debajo de tu gorrito?
¿Dónde llevas las orejas?
Pues sí, mamá, ahí mismito.
¿Dónde llevas las orejas?
Dime dónde, pequeñín.
¿Dónde llevas las orejas?
Pues donde te he dicho, ahí.

Vibraciones

Enseña cómo se sienten los sonidos en la garganta

- Dile a tu hijo que apoye los dedos en la parte delantera del cuello, sin apretar demasiado.
- Sugiérele que haga diferentes sonidos para sentir la vibración de la laringe.
- Dile ahora que hable, grite, murmure o susurre.
- Pídele que describa lo que siente en la garganta cuando sale el sonido.

El truco de la vibración

Enseña cómo se produce el sonido

- Sugiere al niño que coloque la palma de la mano frente a su cara.
- Dile que sople en la mano.
- Mientras sopla, deberá desplazar el dedo índice de la otra mano arriba y abajo a través del flujo de aire.
- Dile que escuche cómo cambia el sonido del aire al desplazar el dedo.

El sentido del oído

11

Observa la vibración

Enseña cómo se produce el sonido

- El sonido se produce por el movimiento del aire, o vibración. Un arpa de cuerda es ideal para ver la vibración y oír el sonido al mismo tiempo.
- Ata los dos extremos de una cuerda larga, formando un bucle, y sujétala con las manos como en la ilustración. Dile a tu hijo que pulse la cuerda y observe cómo se mueve adelante y atrás mientras escucha el sonido. Haz ahora lo mismo con una cuerda corta. Oirás su sonido agudo, pero apenas advertirás su movimiento; se desplaza a gran velocidad.
- Repítelo con una goma elástica.
- Pide al niño que la pulse.
- Llama su atención sobre lo rápido que se mueve adelante y atrás y cómo suena.
- Ténsala un poco más y dile que pulse de nuevo. Se moverá a mayor velocidad y el sonido será más agudo. Cuanto más tenses la goma, más agudo será.
  - Ahora acerca las manos hasta que la goma quede suelta y dile que se fije en cómo se mueve más despacio y suena más grave.

Escucha la vibración

Desarrolla las habilidades de escucha

JUEGO DE GRUPO

- Divide a los niños en dos grupos.
- Los miembros de uno de los grupos se tumbarán aplicando la oreja al suelo.
- Los del otro grupo saltarán mientras los del primero oyen y sienten las vibraciones.

¿Qué sonido es el mejor?

Desarrolla las habilidades de escucha

- El sonido se desplaza mejor a través de los sólidos que a través del aire.
- Dile a tu hijo que aplique una oreja a una mesa y que escuche el sonido mientras tú la golpeas.
- Ahora, dile que levante la oreja y escuche mientras golpeas de nuevo en la mesa.
- ¿Qué sonido oye mejor?

Escucha a ciegas

Desarrolla las habilidades de escucha

- Necesitarás una lata metálica vacía (de café, por ejemplo) y diversos objetos pequeños, como pinzas para tender la ropa, una moneda, bolitas de algodón, etc.
- Dile a tu hijo que cierre los ojos.
- Introduce un objeto en la lata, pon la tapa y luego agítala.
- El niño debe adivinar de qué objeto se trata por el sonido que hace.
- Prueba ahora con dos objetos. Sigue añadiendo más objetos.
- Para complicar un poquito más este juego, usa objetos similares, como por ejemplo una moneda, una canica y un imán.

Lenguaje de los signos

Enseña el lenguaje de los signos

- De una persona incapaz de oír sonidos se dice que es «sorda».
- Las personas sordas usan un lenguaje diferente para comunicarse. Hablan con las manos. Este lenguaje se llama «lenguaje de los signos».
- Infórmate y enseña a tu hijo a decir «te quiero» en ese lenguaje.

Partes del oído

Enseña la forma del oído

- El oído tiene dos partes: oído interno y oído externo.
- Sugiere a tu hijo que observe su oído con la ayuda de un espejo. Pregúntale si distingue el estrechamiento del oído formando una especie de túnel.
- Pregúntale:
  - ¿Puedes mover las orejas? (Las orejas se mueven al levantar las cejas.)
  - ¿Puedes girarlas? (No, pero los animales pueden hacerlo, como por ejemplo los perros o los gatos.)

Tápate los oídos

Enseña cómo perciben el sonido los oídos

- Háblale a tu hijo de sus orejas y dile que las toque y las cuente.
- Sugiérele ahora que se las tape con las manos y hable, y después, que se las destape y vuelva a hablar. Pregúntale si el sonido que oye es diferente.
- Dile que cante una canción con los oídos tapados, y que luego la cante de nuevo con los oídos destapados. ¿Aprecia la diferencia?

La canción de los oídos

Para divertirse

- Recita este divertido poema sobre las orejas:

¿Tus orejas cuelgan mucho?
¿Se anudan en la barbilla?
¿Se mecen como aguilucho
y se llenan de papilla?

¿Puedes echarlas al hombro
o sentarlas en la silla?
¿Puedes hacerlas girar?
¿Sirven para abanicar?
¿Las usas para barrer?
¿Con ellas puedes comer?

¿Son las dos muy pequeñitas?
¿Parecen dos castañitas
pegadas a una pelota?
¿Te caben en un dedal?
¡A mí eso me da igual!

¿Se caen al suelo si toses?
Si estornudas, ¿dan saltitos?
¿Bailan con tus tres ositos?
¿Para salir te las coses?
¿Te las llevas a la escuela?
¡Pues cuidado, no las pierdas!

«Oreja» en diferentes idiomas

Enseña a decir esta palabra en otras lenguas

- Aprende el término «oreja» en diferentes idiomas:
  - En inglés se dice «ear».
  - En francés se dice «oreille».
  - En italiano se dice «orecchie».
- Construye frases sobre el oído y usa un idioma diferente en cada una. Por ejemplo, «Aquí está mi *oreille*», y señala la oreja, o «Mis *ears* son muy importantes».

Escucha el agua

Enseña a apreciar sonidos cambiantes

- Necesitarás una cuchara metálica y tres vasos de agua, largos y del mismo tamaño.
- Pon los vasos en fila y echa el agua de la forma siguiente: 5 cm en el primer vaso, 10 cm en el segundo y 15 cm en el tercero.
- Golpea suavemente cada vaso con la cuchara. Oirás tres sonidos diferentes.

- Si golpeas el tercer vaso y luego los otros dos en orden inverso, podrás interpretar el principio de la canción «María tenía un corderito».
- Experimenta con los sonidos añadiendo agua en un vaso o quitando un poco en otro. A mayor cantidad de agua, el sonido es más agudo, y a medida que quitas agua, el sonido es cada vez más grave.
- Si usas agua coloreada, puedes interpretar «La canción del arco iris».

El tañido del cascabel

Enseña los sonidos fuertes y suaves

- Llena cinco sobres pequeños con cascabeles. Introduce uno en un sobre, dos en el siguiente, tres en el tercero, cuatro en el cuarto y cinco en el último.
- Cierra los sobres y pide a tu hijo que los ordene del sonido más suave al más fuerte.
- Canta «Jingle Bells» mientras agitas los sobres.

Sonajeros con platos de papel

Desarrolla el sentido del ritmo

- Vas a necesitar dos platos de papel rígido para cada sonajero.
- Pon semillas o piedrecitas en uno de los platos y coloca el otro encima, de tal modo que queden encarados.
- Pégalos por el borde con cinta adhesiva.
- Construye más sonajeros con materiales diversos o diferentes cantidades del mismo material.

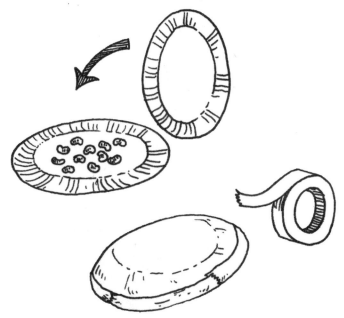

- Decora los sonajeros con rotuladores, purpurina, papel de regalo o cintas.

- Agita los sonajeros y pregunta a tu hijo: «¿Hacen todos el mismo sonido o el de cada uno es diferente?».
- Pon música y sugiérele que elija el sonajero cuyo sonido se adapte mejor a la melodía.

Armónica con un peine

Enseña a percibir las vibraciones

- Necesitarás un peine limpio y un trozo pequeño de papel encerado de la misma longitud que el peine.
- Sostén el peine con las púas hacia abajo y dobla el papel de manera que cubra las dos caras.
- Apoya un lado del peine en los labios de tal modo que el papel quede entre éstos y el peine. Susurra o canturrea con los labios juntos.
- La vibración producirá una sensación de hormigueo en los labios.
- Pide a tu hijo que describa el sonido que produce el instrumento.
- Cuando le encuentre el «truco», se divertirá muchísimo. Y lo mejor es que podrá interpretar cualquier canción sin ni siquiera tener que saber la letra.
- Ésta es una versión de un instrumento musical llamado «armónica».

Los tres ositos

Enseña a comparar sonidos

▶ Léele a tu hijo el cuento de «Los tres ositos».

▶ Habla con la voz de cada personaje: papá oso tiene una voz «grave»; mamá osa tiene una voz «intermedia», y el osito tiene la voz «aguda».

▶ Pon tres vasos iguales sobre una mesa y echa agua: el primer vaso hasta un cuarto; el segundo hasta dos cuartos, y el tercero completamente lleno.

▶ Golpea varias veces cada vaso con una cuchara.

▶ Pregunta a tu hijo: «¿Qué vaso tiene la voz grave de papá oso? ¿Cuál tiene la voz intermedia de mamá osa? ¿Cuál tiene la voz aguda del osito?».

Sonidos iguales

Desarrolla la discriminación auditiva

▶ Divide ocho latas de refresco vacías en cuatro pares.

▶ Llena cada par con un material diferente, como monedas, arroz, clips, granos de maíz, arena, guijarros o sal.

▶ Tapa las latas con cinta adhesiva.

▶ Dile a tu hijo que elija una lata y la agite.

▶ Después de oír el sonido, dile que agite sucesivamente las demás latas hasta encontrar la que produce el mismo sonido.

▶ Este juego es excelente para desarrollar la habilidad de discriminación auditiva y técnicas de escucha.

Papel de periódico

Desarrolla la memoria

- Muestra a tu hijo tres cosas que se pueden hacer con un papel de periódico: recortarlo, rasgarlo y arrugarlo.
- Mientras haces cada una de ellas, dile que escuche con atención los sonidos que producen.
- Vuélvete de espaldas y haz una de las tres cosas. Pídele que escuche y luego te diga cuál de las tres has hecho.
- Intercambia el rol con tu hijo. Ahora será él quien recorte, rasgue o arrugue el papel mientras tú tratas de adivinar la acción que está llevando a cabo.

Comparación de sonidos

Desarrolla las habilidades de escucha

- Llena de agua una botella y golpéala suavemente con un objeto metálico, como una cuchara. Escucha el sonido.
- Quita un poco de agua y golpéala de nuevo. ¿Produce el mismo sonido? (Sonará más grave.)
- Continúa quitando agua y golpeando la botella hasta que esté vacía. Ahora el sonido es muy grave.
- Echa de nuevo agua en la botella, poco a poco, y verás que el sonido es cada vez más agudo.
- Dependiendo de la edad de tu hijo, explícale el concepto de vibración.

Regla

Enseña los conceptos de «largo» y «corto»,
y su relación con el sonido

- Apoya una regla plana sobre una mesa de manera que la mitad de ella sobresalga del borde de ésta.
- Haz un sonido tirando del extremo libre de la regla y soltándolo. Para ello, presiona con una mano, con firmeza, la parte de la regla situada sobre la mesa para que no se mueva, mientras con la otra tiras hacia arriba de la parte que se proyecta en el borde.
- Pregunta a tu hijo:
  - ¿Se mueve la regla?
  - ¿Produce algún sonido?
  - ¿Sigues oyéndolo cuando la regla ha dejado de moverse?
- Ajusta la longitud de proyección de la regla, de manera que sobresalga más o menos, y repite el proceso. Pregunta al niño si el sonido es el mismo de antes.
- Llama su atención al sonido mientras se hace gradualmente más grave o más agudo.

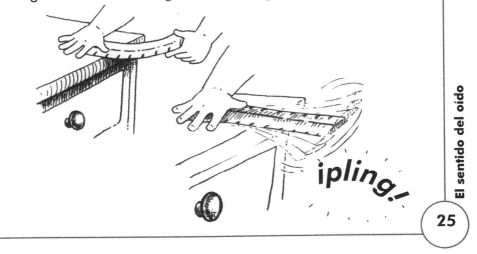

¡pling!

Un oído y dos oídos
Desarrolla la discriminación auditiva

▶ Llena dos recipientes pequeños y llena uno de sal y el otro de granos de maíz.

▶ Agita cada recipiente y escucha los sonidos.

▶ Pide a tu hijo que se tape los ojos mientras escucha y que identifique por los sonidos cuál es el que contiene sal y cuál granos de maíz.

▶ Ahora dile que se tape un oído mientras escucha. Luego pregúntale si nota alguna diferencia en el sonido al utilizar los dos oídos.

¿Qué golpeas?
Desarrolla las habilidades de escucha

▶ Selecciona cinco objetos que luego golpearás con una cuchara.

▶ Dile a tu hijo que escuche cada golpe y diga cuál de los objetos estás golpeando.

▶ Pídele ahora que cierre los ojos mientras tú golpeas de nuevo los cinco objetos. ¿Es capaz de identificar cada sonido?

Los alimentos y el sonido

Enseña técnicas de concentración

- Los alimentos producen diferentes sonidos.
- Escúchalos al masticarlos. Prueba con patatas fritas, tallos de apio, zanahorias y una tostada.
- Pide a tu hijo que cierre los ojos e intente identificar cada alimento por el sonido que produce al comerlo.

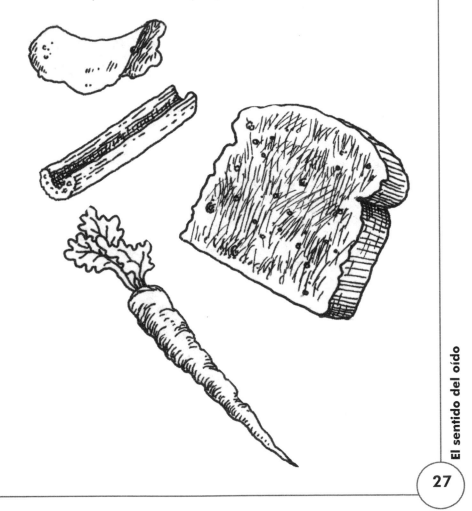

Escuchando y adivinando

Desarrolla las habilidades cognitivas

- ❱ Reúne varios objetos domésticos que hagan sonido.
- ❱ Escucha el sonido que produce cada uno de ellos.
- ❱ Coloca los objetos sobre una mesa.
- ❱ Dile a tu hijo que cierre los ojos.
- ❱ Haz un sonido con un objeto.
- ❱ Comprueba si puede identificar el sonido.

Instrumentos rítmicos

Enseña los conceptos «fuerte» y «suave»

- ❱ Reúne todos los instrumentos rítmicos que encuentres, tales como baquetas de tambor, un triángulo, platillos, castañuelas, etc.
- ❱ Toca cada instrumento y sugiere a tu hijo que preste atención al sonido que producen. Pregúntale si es fuerte o suave.
- ❱ Pídele que ordene los instrumentos por su sonido, de suave a fuerte.

Papel

- Reúne varios tipos de papel, como por ejemplo, papel de periódico, papel de seda, toallitas y cartulina.
- Rasga cada tipo de papel mientras tu hijo escucha el sonido que producen.
- Llama su atención respecto de la diferencia en los sonidos.
- Enséñale a hacer un collage con los trozos de papel.

Caracolas

Desarrolla las habilidades lingüísticas

- Las caracolas son maravillosas; no hay dos iguales.
- Enseña a tu hijo a recitar los dos versos siguientes y dile que preste atención al sonido de la /c/.

Las caracolas caminaban cándidamente por la calle mientras muchos coches corrían con caracolas en el capó.

- Dile que se apoye una caracola en la oreja y escuche el sonido del «mar», aunque en realidad se trate de los latidos de su corazón.

El sentido del oído

29

Sonidos de exterior

Desarrolla las habilidades de escucha

- Siéntate en el banco del parque o en el suelo, al aire libre, y escucha los sonidos del entorno.
- Dile a tu hijo que nombre cada sonido y anótalo en un bloc.
- Te sorprenderá la cantidad de sonidos que puedes oír si prestas atención. Pregúntale qué oye. ¿Viento? ¿Coches? ¿Aviones? Anímalo a identificar por lo menos cinco sonidos diferentes.
- Cuando los haya identificado, sugiérele que los imite con la voz una vez en casa.
- Repítelo en otro lugar y a otra hora del día, escuchando de nuevo los cinco sonidos.

Las estaciones del año

Enseña vocabulario

- Cada estación del año proporciona excelentes experiencias auditivas.
- En invierno se puede oír:
  - La nieve cayendo suavemente.
  - El sonido de la escarcha cuarteándose en las ramas de los árboles.
  - El sonido de los zapatos caminando sobre la nieve.
- En primavera se puede oír:
  - Los pajarillos gorjeando.
  - El borboteo del agua en los arroyos.

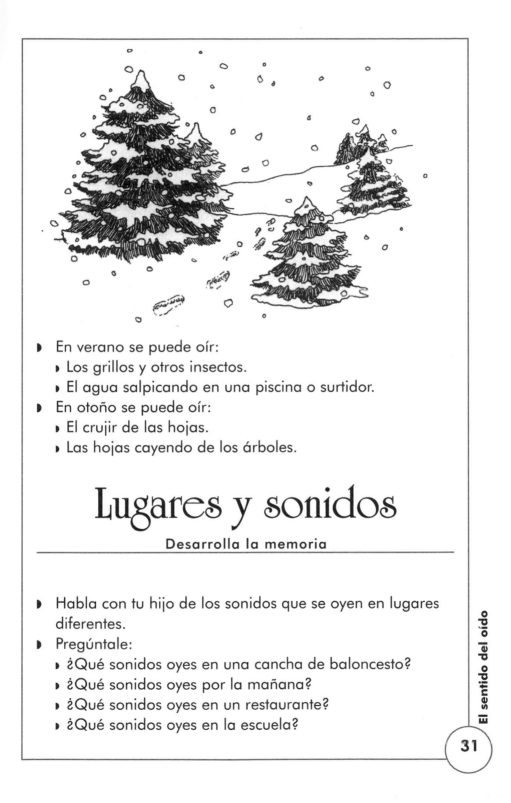

- En verano se puede oír:
  - Los grillos y otros insectos.
  - El agua salpicando en una piscina o surtidor.
- En otoño se puede oír:
  - El crujir de las hojas.
  - Las hojas cayendo de los árboles.

Lugares y sonidos

Desarrolla la memoria

- Habla con tu hijo de los sonidos que se oyen en lugares diferentes.
- Pregúntale:
  - ¿Qué sonidos oyes en una cancha de baloncesto?
  - ¿Qué sonidos oyes por la mañana?
  - ¿Qué sonidos oyes en un restaurante?
  - ¿Qué sonidos oyes en la escuela?

El sentido del oído

¡Adivina quién es!

Desarrolla las habilidades de escucha

JUEGO DE GRUPO

- Sienta a los niños en círculo.
- Uno de ellos, con los ojos vendados, se situará en el centro.
- Elige en silencio a otro niño y dile que haga un sonido suave, como por ejemplo, repiquetear los dedos en el suelo.
- El niño con los ojos vendados deberá señalar en la dirección del sonido.
- Cada niño intentará adivinar, por turno, la dirección del sonido, con los ojos vendados y en el centro del círculo.

El juego del casete

Desarrolla la memoria

- Graba los sonidos en un lugar determinado, como por ejemplo la cocina: el agua del grifo, el repiqueteo de los platos o una batidora.
- Pon el casete en marcha y dile a tu hijo que intente identificar el mayor número posible de sonidos.
- Haz lo mismo al aire libre. Puedes grabar los sonidos de los coches, pájaros y la puerta de un garaje abriéndose.
- Pide al niño que los identifique, indicando su procedencia.

Macedonia de sonidos

Desarrolla la habilidad de identificación acústica

▶ Dile a tu hijo que cierre los ojos e identifique los sonidos que oye.
▶ Puedes hacer algunos de los sonidos siguientes:
  ▸ Agitar monedas.
  ▸ Dar palmadas.
  ▸ Golpear en una mesa con un lápiz o bolígrafo.
  ▸ Cerrar un libro.
  ▸ Arrugar una hoja de papel o papel de aluminio.
  ▸ Cerrar una puerta.
  ▸ Saltar.
▶ Ahora cierra tú los ojos mientras el niño hace los sonidos, e intenta identificarlos.

Nombra el sonido

Desarrolla las habilidades lingüísticas

JUEGO DE GRUPO
▶ Pide a los niños que hagan sonidos por turnos para que los demás los identifiquen.
▶ A medida que cada uno elige un sonido, anótalo en una lista.
▶ La lista te permitirá repetir de nuevo este juego eligiendo un sonido y sugiriendo a los niños que lo imiten.

El sentido del oído

¿Dónde está el sonido?

Desarrolla la habilidad de razonamiento espacial

▶ Dile a tu hijo que cierre los ojos y escuche con atención.

▶ Pregúntale qué sonidos está oyendo y cuál es su procedencia.

▶ Pregúntale si el sonido es fuerte o suave y si procede de la parte delantera o trasera de la habitación, de dentro o de fuera.

▶ Pregúntale también si el sonido permanece en un mismo sitio o se desplaza.

▶ Veamos algunos sonidos que podrías hacer: tos, sonido de pisadas, el tictac de un reloj, una puerta cerrándose de golpe o incluso alguien respirando.

▶ Háblale de cada sonido.

¿Cuál es tu favorito?

Enseña a respetar las ideas de los demás

JUEGO DE GRUPO

▶ Pregunta a cada niño cuáles son sus sonidos favoritos: risa, música, la voz de mamá, etc.

▶ Pídeles que describan su sonido favorito y que cuenten por qué lo es.

Identificación de sonidos

Enseña vocabulario

▸ Habla con los niños de las emociones que suscitan diferentes sonidos.

▸ Por ejemplo, ¿qué hace que un sonido dé miedo, sea fuerte, suave, haga sentir feliz o triste?

▸ ¿Puede tener dos significados diferentes un sonido? Por ejemplo, ¿llorar puede significar felicidad y tristeza indistintamente?

Imágenes y sonidos

Desarrolla las habilidades de razonamiento

▸ Hojea revistas con tu hijo y busca cosas que hagan sonidos, tales como animales, coches, electrodomésticos...

▸ Dile que recorte imágenes de cosas que producen sonidos y las pegue en una hoja grande de cartulina.

▸ Si el niño es demasiado pequeño para usar las tijeras él solo, dile que elija las imágenes y recórtalas tú.

▸ Cuando hayas terminado, señala cada imagen y sugiérele que intente imitar su sonido.

El sentido del oído

35

Fuerte y suave

Enseña técnicas motoras

- Es un juego muy divertido.
- Pide a tu hijo que realice diferentes acciones con sonidos fuertes y suaves, tales como caminar, cantar, saltar, correr, masticar y reír.
- Este juego enseña al niño a escuchar de un modo diferente.

Escucha la voz

Enseña a identificar la dirección de un sonido

JUEGO DE GRUPO
- Sienta a los niños en círculo.
- Venda los ojos a uno de ellos y dile que se siente en el centro.
- Explica que, cuando señales a un niño, éste deberá decir el nombre del que está sentado en el centro del círculo.
- Señala a un niño y pídele que diga el nombre de quien se sienta en el centro.
- Sugiere ahora al niño sentado en el centro del círculo que señale en la dirección de la voz y que identifique el nombre de quien ha pronunciado su nombre.

Juegos para aprender y estimular los sentidos

Imitación de sonidos

Desarrolla las habilidades de escucha

- Haz un sonido y dile a tu hijo que lo imite.
- Veamos algunas ideas: toser, reír, gritar, simular un estornudo, cantar «la, la» en voz alta, cantar «la, la» en voz baja, etc. (Seguro que se te ocurrirán muchas más.)
- Este juego desarrolla las técnicas de discriminación auditiva.

¡Achís!

Palmadas, palmaditas y marchar

Desarrolla las habilidades de escucha

▶ Dile a tu hijo que dé palmadas fuertes y escucha atentamente el sonido.

▶ Dile ahora que dé suaves palmaditas; escucha también el sonido.

▶ Por último, dile que simule marchar en un desfile golpeando el suelo con los pies.

▶ A continuación, deberá cerrar los ojos.

▶ Elige uno de los sonidos que ha hecho, hazlo tú y sugiérele que lo identifique.

▶ Repite el juego cerrando tú los ojos e intentado adivinar los sonidos que hace el niño.

Repite lo que oyes

- Dile a tu hijo que vas a pronunciar dos palabras.
- Pídele que las escuche y que luego las repita.
- Es una buena idea empezar este juego con palabras rítmicas; el niño las diferenciará y recordará con mayor facilidad. Por ejemplo, «gato» y «plato».
- Dile que repita las palabras.
- Añade ahora una tercera palabra: «gato», «plato» y «chato».
- Sigue añadiendo palabras mientras sea capaz de recordarlas por orden.

Escuchar con atención

Enseña el significado de «tono»

- Explica a tu hijo que vas a formularle una pregunta y que deberá responder «sí» o «no» con la misma voz que has utilizado.
- Por ejemplo, pregunta: «¿Te gustan los caramelos?». Él responde: «Sí, me gustan los caramelos». Si has hecho la pregunta en voz baja, el niño deberá responder también en voz baja.
- Anímalo a imitar el sonido de tu voz al responder.
- Entre las diferentes formas de hablar se incluyen: voz alta, voz baja, hablar deprisa, hablar despacio, con suavidad, con voz nasal, etc.

El juego del teléfono

Desarrolla la habilidad de discriminación auditiva

JUEGO DE GRUPO

▸ Este popular juego, conocido como «El teléfono», ayuda a los niños a comprender la importancia de escuchar.

▸ Siéntalos en círculo.

▸ Elige tres palabras y susúrralas al oído del niño que está sentado a tu izquierda. Empieza con algo fácil, como «Feliz Año Nuevo».

▸ Éste repetirá lo que ha escuchado al oído de su compañero de la izquierda.

▸ Cuando las palabras lleguen de nuevo a ti, repítelas en voz alta. Es muy probable que se hayan deformado completamente y que carezcan de significado.

Oír palabras

Desarrolla las habilidades de escucha

- Selecciona un poema o una canción que repita la misma palabra muchas veces, como por ejemplo «María tenía un corderito».
- Dile a tu hijo que cuando oiga esta palabra (por ejemplo «corderito»), dé un salto.
- Si el niño ya es mayorcito, puedes usar palabras que empiecen con un determinado sonido, como por ejemplo /l/.

Con un instrumento

Desarrolla las habilidades cognitivas

- Graba a tu hijo cantando una canción.
- Luego grábalo de nuevo cantando la misma canción, pero esta vez añadiendo un acompañamiento musical de tambor, piano, baquetas o cualquier otro instrumento.

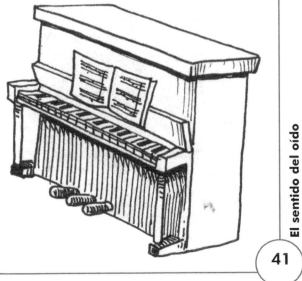

41

- Pon el casete en marcha y pregúntale qué versión tiene acompañamiento musical.
- Si tienes acceso a más de un instrumento, continúa haciendo grabaciones con instrumentos adicionales, sugiriendo al niño que intente identificarlos por su sonido.

Escuchar voces

Enseña a identificar y comparar voces

- Canta canciones con diferentes tipos de voz.
- Algunas ideas para la escucha son una voz masculina, una voz femenina, una voz infantil, una voz alta, una voz baja, un coro infantil o un coro de adultos.
- Habla con tu hijo del sonido de cada voz y pídele que describa las diferentes voces que oye.

Escucha atenta

Desarrolla las habilidades cognitivas

JUEGO DE GRUPO

- Explica a los niños que vas a pronunciar dos palabras.
- Diles también que, si suenan igual, levanten los pulgares.
- Si suenan diferente, apoyarán las manos en su regazo.
- Empieza con palabras que suenen claramente diferentes (por ejemplo, «perro» y «libro») y continúa poco a poco con otras cuyo sonido se parezca cada vez más (por ejemplo, «beso» y «queso»).
- A medida que los niños desarrollen sus técnicas de escucha, complica poco a poco el juego.
- Este juego requiere técnicas de escucha extremadamente precisas.

Los sonidos de la voz

Desarrolla la creatividad

JUEGO DE GRUPO

- Pide a los niños que nombren los diferentes sonidos que pueden hacer con la voz, tales como cantar, gritar, toser, llorar, reír, susurrar, etc.
- Anota cada sonido en una pizarra.
- Una vez completada la lista, cuenta el número de sonidos y luego intenta repetirlos.

¿De quién es la voz?

Desarrolla las habilidades cognitivas

JUEGO DE GRUPO

- Un niño debe sentarse de espaldas a los demás.
- Elige otros tres niños y diles que pronuncien el nombre de uno solo de ellos.
- Por ejemplo, si el nombre de uno de los tres es «Juan Pedro Limonero», cada uno de ellos, incluido el verdadero Juan Pedro, dirá por turno: «Me llamo Juan Pedro Limonero».
- Pide al niño sentado de espaldas al grupo que identifique la voz que pertenece al verdadero Juan Pedro.

¿Quién lo ha dicho?

Desarrolla las habilidades de escucha

JUEGO DE GRUPO

- Sienta a los niños en círculo.
- Diles que cierren los ojos y elige a uno que diga «Buenos días» disimulando la voz.
- Pide a los demás niños que identifiquen la voz.
- El juego continúa por turnos.

Hola, ¿cómo estás?

Para divertirse

JUEGO DE GRUPO

▶ Necesitarás un casete.

▶ Graba a cada niño del grupo diciendo: «Hola, ¿cómo estás?».

▶ Cuando los hayas grabado a todos, pon en marcha el casete.

▶ Di a los niños que escuchen cada voz e intenten adivinar quién está hablando.

El sonido más fuerte

Enseña a comparar

▶ Sugiere a tu hijo que haga con la voz el sonido más fuerte de que sea capaz.

▶ Dile que haga lo mismo con el sonido más suave, el más grave y el más agudo.

Fuerte y suave

Desarrolla las habilidades de escucha

▶ Toca un instrumento musical.

▶ Pide a tu hijo que escuche los sonidos suaves y los fuertes.

▶ Si es suave, dile que se ponga en cuclillas.

▶ Si es fuerte, que se ponga de pie y levante los brazos.

¿Qué oyes?

Desarrolla la habilidad de discriminación auditiva

JUEGO DE GRUPO

▶ Toca una breve cancioncilla con un instrumento musical para un grupo de niños.

▶ Cuando hayas terminado, pregúntales qué tipos de sonidos han oído, si eran rápidos, lentos, fuertes, suaves, graves o agudos.

▶ Dile a uno de los niños que elija su sonido favorito cuando interpretes de nuevo la canción. Cuando lo oiga, deberá saltar, dar una palmada o realizar cualquier otro movimiento que combine bien con él.

▶ Continúa jugando por turnos. Este juego es excelente para desarrollar las técnicas auditivas.

¿Oyes la música?

Enseña el concepto de movimiento

JUEGO DE GRUPO

▶ Reproduce un casete o un CD, a ser posible de música instrumental.

▶ Para y reproduce alternativamente la música y explica a los niños que deben avanzar cuando la oigan y detenerse, simulando una estatua, cuando dejen de oírla.

▶ Pon de nuevo la música, y cuando esté sonando, sugiéreles que caminen de puntillas por la habitación mientras la oyen y se detengan cuando deje de sonar.

El sentido del oído

47

- Vuelve a poner la música, y esta vez sube y baja el volumen del reproductor. Cuando suene fuerte deben caminar pataleando en el suelo, y cuando suene suave, de puntillas.
- Los niños pequeños se divierten muchísimo con el concepto de «quedar petrificados», una palabra que puedes usar cuando quieras tranquilizar a un grupo de niños en pleno alboroto.
- Otra forma de divertirse consiste en pedirles que describan a qué se parece cada «estatua».

Sillas musicales

Enseña el concepto de movimiento

JUEGO DE GRUPO

- Dispón las sillas en el centro de la habitación unidas por los respaldos.
- Explica que el juego consiste en caminar alrededor del grupo de sillas mientras la música está sonando y sentarse en una de ellas cuando deja de sonar.
- Diles que siempre habrá una silla menos que el número de participantes.
- Cuando la música se detenga, quien se quede sin silla se sentará en el suelo.
- El juego finaliza cuando todos menos uno, el ganador, están sentados en el suelo.

Mamá, ¿puedo hacerlo ya?

Desarrolla la coordinación y las técnicas de escucha

JUEGO DE GRUPO

- Un niño es «Mamá» y se coloca delante de los demás niños.
- Los otros niños se sitúan en línea recta frente a Mamá.
- Mamá elige a uno de ellos y le da una instrucción de movimiento. Por ejemplo, «Elena, da un paso de gigante».
- Elena responde: «Mamá, ¿puedo hacerlo ya?». Y Mamá dice: «Sí».
- Si el niño olvida preguntar: «Mamá, ¿puedo hacerlo ya?», debe regresar a la línea de salida.

- El primer niño que toque a Mamá, ocupa su puesto.
- Los tipos de pasos son muy variados:
  - Pasitos de bebé.
  - Pasos normales.
  - Pasos de tijera (saltar cruzando los pies y luego saltar descruzándolos).
  - Pasitos de conejo (saltitos).

El perro y el hueso

Enseña técnicas de concentración

JUEGO DE GRUPO

- Elige un niño; será el perro, y deberá sentarse en una silla de espaldas a los demás niños.
- Pon una goma de borrar o cualquier otro objeto (el hueso) debajo de la silla del perro.
- Mientras el perro está sentado con los ojos cerrados, alguien se arrastrará, alcanzará el hueso y lo esconderá en el bolsillo, la manga, el pantalón, etc. El perro, siempre con los ojos cerrados, intentará detectar un sonido que le permita identificar a quien le está robando el hueso.
- El perro abrirá los ojos y los niños dirán:

Perrito, perrito, ¿dónde está el hueso?
Alguien se lo llevó mientras dormías.

- El perro dispone de tres oportunidades para adivinarlo.
- Si lo adivina, vuelve a ser el perro, y si no, el niño que le quitó el hueso ocupa su lugar.

El juego del león

Enseña técnicas de concentración

JUEGO DE GRUPO

- Este juego es ideal para niños a partir de los cinco años.
- Elige un niño; será el león.
- El león se sienta en una silla de espaldas a los demás niños, situados por lo menos a 3 m de distancia.
- Pon un peluche debajo del león y dile que simule que es su cría.
- Los otros niños, por turno, se arrastrarán debajo de la silla intentando hacerse con la cría.
- Si el león oye al intruso arrastrándose, puede rugir, volverse y atraparlo. Si lo captura, ese niño ocupará su lugar como león, mientras aquél se reincorpora al grupo.
- Si al rugir no hay ningún niño arrastrándose, seguirá sentado en la silla, y vuelta a empezar.

El sentido del oído

Canciones fuertes y suaves

Enseña los conceptos «fuerte» y «suave»

- Canta las canciones favoritas de tu hijo en voz alta y en voz baja.
- Podrías probar con «María tiene un corderito», «Susanita tiene un ratón» o «Jingle Bells».
- Háblale de las diferencias de sonido, e incluso de su significado, entre la versión suave y la fuerte.

Música y dibujo

Desarrolla la habilidad de pensamiento creativo

- Dale a tu hijo lápices de colores y papel, y anímalo a dibujar al son de una música.
- Pon música instrumental que contenga fragmentos lentos y rápidos.
  Nota: Es importante que la música sea sólo instrumental, sin palabras que podrían interferir en el proceso de razonamiento creativo del niño.
- Pregúntale qué tipo de música le ha gustado más.

Abanico

Enseña el concepto de vibración

- Enseña a tu hijo a doblar una hoja de papel en forma de abanico.
- Sugiérele que se abanique y diga «hola».
- Pídele que describa cómo el movimiento del aire cambia el sonido de la palabra.

Sonidos corporales

Enseña los sonidos corporales

JUEGO DE GRUPO

- Explica a los niños los diferentes sonidos que puede hacer el cuerpo, incluyendo:
  - Sonidos con los pies (saltar, patalear, arrastrar).
  - Sonidos con las manos (palmadas, frotar).
  - Sonidos con la boca (susurrar, gritar, silbar).
- Diles que cierren los ojos.
- Haz uno de los sonidos de los que les has hablado.
- Quien lo adivine ocupará tu lugar y hará el sonido siguiente.

¡Éste es mi ritmo!

▶ Recita o improvisa una melodía para el texto siguiente. Al terminar, da palmadas o patalea al compás.

▶ Dile a tu hijo que te escuche y te imite. Por ejemplo, si das tres palmadas, deberá hacer lo mismo.

¡Éste es mi ritmo!, de Jackie Silberg
¡Éste es mi ritmo!
¡Oye mi ritmo!
¡Éste es mi ritmo!
¿Puedes seguirlo?

Eco

- Explica a tu hijo qué es el eco y practícalo con él.
- Recita el poema siguiente, haciendo hincapié en los ecos (entre paréntesis) con voz suave.

Eco, eco, ¿cómo estás? (estás).
Hola (hola), *hola* (hola),
eco, eco, ¿llegarás? (llegarás).
Hola (hola), *hola* (hola),
hola (hola), *hola* (hola),
¿Vendrás a casa a jugar? (jugar).
Eres mi mejor amigo (amigo),
te conozco por la voz (voz),
¿por qué no vienes conmigo?

El juego de la imitación

Desarrolla las habilidades de escucha

JUEGO DE GRUPO

- Haz un sonido con la voz.
- Pide a los niños que escuchen y luego lo repitan.
- Repite el primer sonido y añade otro. Por ejemplo, una tos seguida de «la, la, la» cantando.

El sentido del oído

55

- Diles que escuchen y que los repitan.
- Sigue añadiendo un nuevo sonido cada vez.
- Complica un poco el juego usando sonidos y movimientos.

Tarta de fresa

Desarrolla las habilidades de escucha

JUEGO DE GRUPO
- Este juego requiere usar el oído y técnicas de escucha.
- Pon a los niños en círculo y, cuando cada uno oiga su nombre, dará un salto adelante, dentro del círculo.
- Cuando oigan su edad, saltarán hacia atrás, fuera del círculo.

Tarta de fresa,
la que más me gusta a mí.
Cuando oigas tu nombre
salta hacia aquí. (Di el nombre de un niño.)

Tarta de fresa,
la que más me gusta a mí.
Cuando oigas tu edad
da un salto atrás. (Di un número.)

El juego del cronómetro

Desarrolla la conciencia espacial

- Programa un cronómetro o temporizador en 60 segundos y esconde algo en la habitación.
- Dile a tu hijo que trate de encontrarlo antes de que suene la alarma.
- A medida que domine el juego, puedes acortar el lapso de tiempo.

La campana

Desarrolla la imaginación

- Necesitarás una campana.
- Dile a tu hijo que finja estar durmiendo y que despierte al oír la campana.
- Primero el niño será el que duerme y tú harás sonar la campana. Luego se invertirán los roles.
- Para que sea más divertido, simula ser un animal. Al despertar, haz el sonido de este animal.

Empezar y parar

Desarrolla la coordinación

- Elige dos objetos sonoros, tales como una campana y un tambor.
- Dile a tu hijo que camine cuando oiga la campana y se detenga al oír el tambor.
- Este juego demuestra la importancia del silencio, además del sonido.

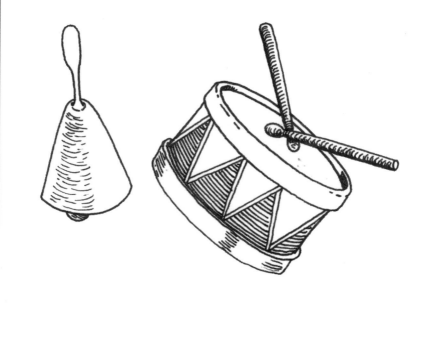

Silbar

Para divertirse

- Pide a los niños que cierren los ojos.
- Dale un silbato a uno de ellos. Deberá esconderse.
- Dile que cuando encuentre un buen escondrijo, lo haga sonar.
- Sugiere a los demás que sigan el sonido del silbato para descubrir dónde se ha escondido.
- Quien encuentre al niño escondido, será el siguiente en esconderse.
- A los niños les gusta mucho este juego.
- Se puede jugar dentro y fuera de casa.

Animales

Enseña los sonidos de los animales

- Es un juego muy entretenido para niños que estén empezando a aprender cosas acerca de los animales.
- Usa dibujos de animales o peluches y anima a tu hijo a imitar su sonido.
- Sugiérele también que se mueva como ellos.

El sentido del oído

59

«En la granja de mi tío»

Enseña técnicas secuenciales

JUEGO DE GRUPO

- Canta la canción «En la granja de mi tío, ia ia o». (Puedes buscar la letra y la música en Internet o comprar un cancionero infantil.)
- Elige tres animales para usar en la canción, tales como una vaca, un caballo y un cerdo.
- Canta la canción, y cuando nombres uno de los animales, dile a tu hijo que haga su sonido.
- Sigue añadiendo más animales en la canción. Deja que el niño te sugiera los animales que quiere imitar.

Gatos, perros y patos

Enseña los sonidos de los animales

▶ Elige tres sonidos de animales. Empieza con un gato, un perro y un pato.

▶ Practícalos con los niños.

▶ Ahora, elige un niño para que haga uno de los sonidos mientras los demás intentan identificarlos.

Escuchar con atención

Enseña los sonidos de los animales

JUEGO DE GRUPO

▶ Sitúa a tres niños en un extremo de la habitación y diles que cada uno elija el sonido de un animal que quiera hacer.

▶ De espaldas al grupo, diles que hagan los sonidos al mismo tiempo, una y otra vez, hasta que digas «¡Alto!».

▶ Ahora pregunta a los niños qué sonidos han oído. Cada vez que identifiquen un sonido, quien lo haya hecho se sentará en el suelo.

▶ Cuando todos los sonidos hayan sido identificados, elige otros tres niños, y vuelta a empezar.

▶ Este juego constituye una extraordinaria experiencia de escucha.

El sentido del oído

«Muuu», dice la vaca»

Desarrolla las habilidades de escucha

JUEGO DE GRUPO

- Dile a un niño que se tape los ojos con las manos y que se siente en una silla de frente al grupo.
- Elige otro niño. El grupo deberá recitar las tres primeras líneas del texto siguiente, y aquél, la última.

«Muuu», dice la vaca.
«Beee», dice la oveja.
Dime, dime...
(un niño dice) *¿Yo quién soy?*

- El niño con los ojos tapados intentará identificar al que ha recitado la última línea.

Voces de animales

Enseña los conceptos «fuerte» y «suave»

- Háblale a tu hijo de los sonidos de los animales y pregúntale si sabe cuáles hacen un sonido fuerte y cuáles un sonido suave.
- Entre los animales que hacen sonidos fuertes figuran el león, la foca, la vaca, el tigre y el oso, y entre los que hacen un sonido suave están los patos, los pájaros, las gallinas, los conejos, las ranas y los búhos.
- Pídele que haga un sonido fuerte de animal y luego un sonido suave.
- Sugiérele que imite el sonido de diferentes animales.
- Pregúntale: «¿Conoces algún animal que haga sonidos fuertes y suaves?».
- Muéstrale fotos de animales que hacen sonidos fuertes y sonidos suaves.
- Si tienes la oportunidad, llévalo al zoo.

La rana

Enseña lenguaje

- Dile a tu hijo que finja ser una rana y que croe: «croac, croac».
- Explícale que en otros países los niños hacen otros sonidos cuando imitan a las ranas.
- Sugiérele que intente hacer los sonidos de la página siguiente.

Afrikaans: kuaak-kuaak
Alemán: quaak, quaak
Árabe (Argelia): gar gar
Castellano (Argentina): berp
Castellano (España): croá-croá
Castellano (Perú): croac, croac
Catalán: croá-croá
Chino (mandarín): guo guo
Coreano: gae-gool-gae-gool
Finlandés: kvak kvak
Francés: coa-coa
Hebreo: kwa kwa
Holandés: kuak-kuak
Húngaro: bre-ke-ke
Inglés (Reino Unido): croak
Italiano: cra cra
Japonés: kerokero
Ruso: kva-kva
Sueco: kvack
Tailandés: ob ob (en tono muy agudo)
Turco: vrak vrak
Ucraniano: kwa-kwa

Los animales y el oído

Enseña cosas de los animales

▸ Pregunta a tu hijo qué animal cree que tiene el mejor oído.
   ¿El gato? ¿La ardilla? ¿El delfín? La respuesta es el delfín.
▸ Muéstrale fotos de delfines. Aunque los orificios del oído
   son minúsculos (del tamaño de la punta de un lápiz),
   su oído es extraordinario, pues reciben los sonidos a
   través de los maxilares y la cabeza, y las vibraciones se
   transmiten a los diminutos huesecillos del oído interno.
▸ Dile que se toque los maxilares con el dedo índice y que
   continúe hasta las orejas.
▸ Sugiérele que haga lo mismo mientras habla.

Delfines

Enseña cosas acerca de la comunicación

▸ Los delfines usan sonidos de cliqueteo y silbidos para
   comunicarse.
▸ Además de clics y silbidos, los investigadores han descrito
   los reclamos del delfín como gritos, chillidos, llamadas,
   lamentos, gruñidos o incluso crujidos o chirridos
   semejantes a los de una puerta al abrirse o cerrarse.
▸ Expertos que estudian los delfines nariz de botella creen que
   los clics graves y los silbidos agudos son signos de alegría,
   mientras que los chillidos graves y ásperos indican enojo.
▸ Dile a tu hijo que finja ser un delfín y que se comunique
   con estos sonidos.

El sentido del oído

65

El sonido y la caza

Enseña cosas de los animales

- Explica a tu hijo que algunos animales se mueven y cazan valiéndose preferiblemente del sonido que de la vista.
- Explícale también que estos animales detectan el menor ruido que hacen sus presas. Muchos murciélagos y ballenas se desplazan escuchando el eco que rebota en los objetos, mientras que otros escuchan los sonidos de sus congéneres para reunirse con ellos.
- Lleva a tu hijo al parque y siéntalo cerca de un árbol. Dile que cierre los ojos y que escuche los pájaros. Sugiérele que imagine qué están comunicando por el sonido que hacen.

CAPÍTULO 2

EL SENTIDO DE LA

Vista

¿Qué parte del cuerpo usas para leer, contemplar un arco iris..., cuando estás triste y lloras o para ver cosas cercanas y lejanas?

Las actividades de este capítulo exploran los ojos, cómo se usan y cómo el sentido de la vista permite aprender y disfrutar de la vida.

Curiosidades de los ojos y la vista

▸ Es imposible estornudar con los ojos abiertos.

▸ Las mujeres parpadean el doble de veces que los hombres.

▸ Si te tapas un ojo, sólo pierdes alrededor de una quinta parte de la visión, pero todo el sentido de la profundidad.

▸ Tus ojos tienen el mismo tamaño desde que naces, pero tu nariz y tus orejas nunca dejan de crecer.

▸ Por término medio, el ser humano parpadea 6.205.000 veces al año.

▸ La longitud total de las pestañas caídas durante toda la vida supera los 30 m.

▸ Las ranas pueden desplazar los glóbulos oculares hasta el paladar para ayudar a hacer pasar el alimento a través de la garganta.

- Los perros ven el amarillo y el azul, pero no distinguen entre el rojo y el verde.
- Los peces tienen ojos a ambos lados de la cabeza, lo que les permite ver en casi todas las direcciones.
- Algunos animales tienen un par de ojos adicional llamados «ocelos». Son falsos ojos con los que no pueden ver, pero que sí ven otros animales. ¿Para qué sirven los ocelos? Para protegerse de los depredadores.

Realiza estas acciones mientras recitas el siguiente poema acerca de lo que pueden hacer los ojos:

Poema del ojo, de Jackie Silberg
Mira hacia arriba (mira al techo),
mira hacia abajo (mira al suelo),
mira lo que te rodea (mueve la cabeza adelante y atrás)
y parpadea, parpadea (parpadea deprisa).
Ahora ciérralos con fuerza (cierra fuerte los ojos),
bosteza, bosteza (hazlo)
y di: «Quiero que me mezas».

Recita el siguiente poema, que celebra el gozo de la vista:

Mis ojos, de Jackie Silberg
Mis ojos pueden ver la primavera,
el verde de los árboles y de la hierba,
flores de muchos colores,
el sol y los chaparrones.
Mis ojos pueden ver la primavera,
¡y qué hermosa es!

Palabras que describen la vista

Enseña vocabulario

- Es una excelente actividad para el desarrollo del lenguaje que ayuda al niño a comprender la importancia de sus ojos.
- Dile a tu hijo que piense en palabras que describan diferentes formas de ver las cosas, incluyendo observar, mirar con los ojos entornados, contemplar, mirar fijamente y de reojo. Dile que lo haga.
- Usa estas palabras en frases, tales como *contemplar* el cielo o mirar el sol con los *ojos entornados*.

Músculos oculares

Desarrolla la concentración

- Dile a tu hijo que mire al frente.
- Luego, sin mover la cabeza, dile que mire algo en la habitación que exija mover los ojos.
- Pregúntale: «¿Cómo has movido los ojos?».
- Pídele que intente mover los ojos de cada una de las formas siguientes. Pregunta: «¿Puedes sentir los músculos oculares moviendo tus ojos?».

Construye un ojo

Desarrolla la imaginación

- Con un rotulador, dibuja un iris y una pupila en la parte delantera de un globo hinchado.
- Dale el «globo-ojo» a tu hijo para que pueda ver que el iris y la pupila están situados en la parte anterior del ojo.
- Pregúntale al «globo-ojo» qué cosas puede ver. «¿Ves esa preciosa nube blanca? ¡Mira! ¡El arco iris!»

La pupila

Enseña técnicas de observación

JUEGO DE GRUPO

- Háblale a tu hijo de la pupila del ojo y explícale que se dilata para dejar pasar la luz cuando está oscuro y se contrae cuando hay mucha luz.
- Los niños jugarán por parejas.
- Apaga la luz y corre las cortinas para dejar la habitación en penumbra.
- Diles que miren la pupila de su pareja cuando enciendas de nuevo la luz. Verán cómo cambia de tamaño y se hace más pequeña.

El juego del parpadeo

Enseña a seguir direcciones

- El ojo tiene el tamaño aproximado de una pelota de ping-pong y reposa en un pequeña área hueca en el cráneo denominada «cavidad ocular». La parte anterior del ojo está protegida por el párpado. Los párpados mantienen los ojos limpios y húmedos abriéndose y cerrándose varias veces por minuto. Esto se llama «parpadeo», y es una acción que puede ser voluntaria o involuntaria. Puedes parpadear cuando quieras, pero también lo haces sin pensar.
- Canta una de las canciones favoritas de tu hijo. Cada vez que dejes de cantar deberá parpadear.

Ojos expresivos

Enseña cosas acerca de las emociones

- Pregunta a tu hijo:
  - ¿Puedes expresar felicidad con los ojos?
  - ¿Puedes expresar tristeza?
  - ¿Puedes expresar enfado?
  - ¿Puedes expresar sorpresa?
  - Hojea revistas y busca fotos de rostros que denoten felicidad, tristeza, enfado y sorpresa.

Ojos, tijeras y cartulina

Enseña las partes del ojo

- Dibuja un círculo (el ojo) en un tablero de cartón.
- Recorta un óvalo blanco y un pequeño círculo negro de cartulina.
- Ayuda a tu hijo a pegar el óvalo blanco en el tablero, dentro del círculo del ojo.
- Ayúdalo a recortar un gran círculo del color de sus ojos.
- Dile ahora que pegue el circulito negro (pupila) sobre el círculo del color de sus ojos y, luego, ambos sobre el óvalo blanco.
- Sugiérele que pinte las pestañas, cejas, etc.

Mis ojos

Enseña los movimientos del ojo

- Enseña a tu hijo este poema y luego recítalo con él.

Aquí están mis ojos (señala los ojos),
uno y dos.
Puedo parpadear (parpadea),
igual que tú.

Con los ojos abiertos (abre bien los ojos)
puedo ver el azul.
Si los cierro (cierra los ojos),
desaparece la luz.

¿Cómo se dice «ojos» en...?

Enseña a decir esta palabra en otras lenguas

- Enseña a tu hijo cómo se dice «ojo» en otros idiomas:
  - En francés es «oeil».
  - En inglés es «eye».
  - En italiano es «occhio».
- Construye una frase acerca del ojo y sustituye esta palabra por su equivalente en otro idioma. Por ejemplo, podrías decir: «Aquí está mi eye», señalando el ojo, o «Mi *oeil* es muy importante», señalándolo también.

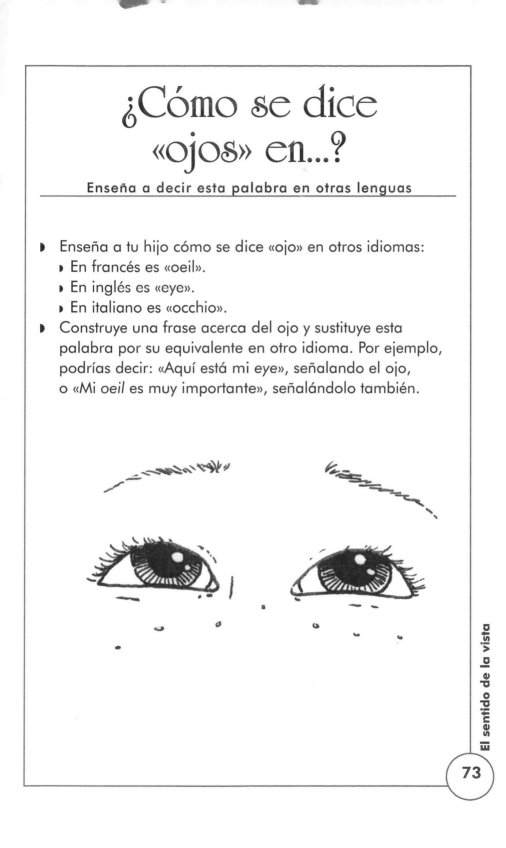

El color de los ojos

JUEGO DE GRUPO

▶ Pregunta a los niños qué color de ojos creen que tienen la mayoría de los niños del grupo.

▶ Dales un espejo para que se lo vayan pasando y observen detenidamente el color de sus ojos.

▶ Escribe en una tabla el nombre de cada niño y, al lado, el color de sus ojos.

▶ Cuenta el número de cada color y diles si lo han adivinado.

▶ Cuenta los colores correspondientes a los niños y las niñas. ¿Coinciden?

Nombres	Color de los ojos				
	Castaños	Negros	Azules	Miel	Verdes

La familia y el color de los ojos

Enseña técnicas de observación

▸ En una cartulina escribe una lista de los miembros de la familia, incluyendo tíos, tías, abuelos e incluso mascotas.

▸ Escribe el nombre de cada persona o animal y dibuja un ojo junto a cada nombre.

▸ A medida que conozca el color de los ojos de cada cual, dile a tu hijo que coloree el ojo situado junto a su nombre con el color correspondiente.

▸ Una vez terminada la tabla, determina cuál es el color predominante.

▸ Recuerda que algunas personas podrían tener cada ojo de un color diferente. En tal caso, dibuja dos ojos junto a su nombre.

Mamá		Abuelo	
Papá		Tía	
Hermana		Tío	
Hermano		Mascota	
Abuela		Mascota	

Reflejos

Enseña vocabulario

- Mírate en un espejo y di: «Veo mi reflejo en el espejo. ¡Veo mi cara!».
- Pregunta a tu hijo: «¿Quieres ver tu cara?».
- Dale el espejo para que pueda verse reflejado.
- Dile que mire sus ojos, su nariz y su lengua.

Autorretrato

Enseña técnicas de observación

- Dile a tu hijo que haga un dibujo de sí mismo mirándose en un espejo.
- Háblale de las partes del cuerpo que puede ver.
- Si tiene alguna marca, como por ejemplo un lunar, pecas o una marca de nacimiento, muéstraselo.

El doctor Ojo

Enseña a jugar con las letras

JUEGO DE GRUPO

- Explica a los niños los diferentes tipos de médicos que hay. Les suele gustar muchísimo oír palabras tales como «oftalmólogo» u «otorrinolaringólogo».
- Confecciona una tabla de optometrista usando letras de diferentes tamaños.
- Elige un niño para que sea el doctor y dile que vaya señalando las letras de la tabla.
- Los demás niños tienen que decir el nombre de las letras, primero mirando con los dos ojos y luego tapándose uno con la mano.

Gafas

Explica la importancia de los ojos

- Recorta en una revista fotos de personas que lleven gafas y pégalas en una cartulina.
- Comenta las fotos a tu hijo.
- Pregunta:
  - ¿Por qué lleva gafas la gente?
  - ¿Cambian el aspecto de la persona?
  - ¿Parecen iguales todas las personas que llevan gafas?

El sentido de la vista

77

- Cuéntale que las gafas sirven para ver mejor.
- Explícale que cuando una persona es *hipermétrope*, puede ver claramente de lejos, pero tiene dificultades para ver de cerca, y si es *miope*, verá bien de cerca, pero mal de lejos.
- Haz una lista de formas posibles de cuidar los ojos.
- Sugiérele que dibuje unas gafas y las decore.

Los ojos son importantes

Enseña a comprender a las personas invidentes

JUEGO DE GRUPO

- La finalidad de esta actividad es caminar por la habitación sin usar el sentido de la vista.
- Se juega por parejas.
- Un niño cierra los ojos o se le vendan, mientras el otro (el guía) lo ayuda a evitar los obstáculos.
- El niño con los ojos vendados se sujetará del brazo de su guía.
- Después de un rato, se invertirán los roles. Esta actividad contribuye a que los niños comprendan la importancia de la vista.

Braille

Enseña técnicas táctiles

- Dile a tu hijo que las personas invidentes no pueden ver, pero pueden leer con Braille.
- Este alfabeto se llama así porque lo inventó Louis Braille.
- Braille es un conjunto de puntos en relieve dispuestos de formas diferentes que representan letras y se pueden leer con los dedos.
- Deja caer un poco de pegamento en una hoja de papel, formando puntos. Cuando se hayan secado, quedarán bultitos en relieve.
- Invita al niño a tocarlos con las yemas de los dedos para experimentar la sensación que produce el Braille.

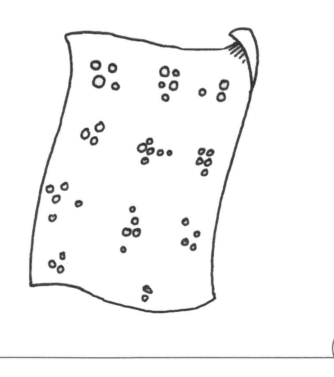

Ver el lenguaje de los signos

Enseña cosas acerca del lenguaje de los signos

▶ Busca situaciones en las que alguien esté usando el lenguaje de los signos. Podría ser una representación teatral en la escuela o una conferencia para sordos.

▶ Habla con tu hijo sobre lo que podría hacer si no pudiera oír, y explícale en qué medida el lenguaje de signos le permitiría ver «hablar» a alguien con las manos.

▶ Aprende algunos signos básicos y enséñale una canción, recitando el texto con sus correspondientes signos.

¿Un dedo? ¡Dos dedos!

Enseña técnicas de observación

▶ Dile a tu hijo que coloque el dedo índice delante de sus ojos.

▶ Dile ahora que se lo aproxime muy lentamente, siempre con los ojos abiertos.

▶ El niño experimentará la ilusión óptica de que el dedo se está transformando en dos.

▶ ¡Los ojos son capaces de hacer cosas asombrosas!

El rabillo del ojo

▶ Dile a tu hijo que mire fijamente al frente sin mover los ojos. Es difícil hacerlo y tendrá que practicar un poco.

▶ Camina hacia él a su espalda y dile que te avise cuando te vea entrar en su campo visual. Esto demuestra la visión periférica lateral.

▶ Otra forma de enseñar la visión periférica lateral consiste en sostener un lápiz encima de la cabeza del niño y luego moverlo lentamente hacia abajo hasta que entre en su campo visual.

▶ Este juego enseña nuestra capacidad de ver por el rabillo del ojo.

El juego de los dos ojos

Desarrolla la percepción

▶ Es un juego divertido que demuestra cómo cada ojo ve la misma imagen de un modo diferente.

▶ Mira un cuadro en la pared a 6-9 m de distancia.

▶ Cierra un ojo y alarga el brazo alineando el dedo con el cuadro o uno de sus bordes.

▶ Sin mover el dedo ni la cabeza, cierra el ojo abierto y abre el cerrado. La imagen que estabas mirando dará la sensación de desplazarse a un lado, y el dedo ya no estará alineado con ella.

El sentido de la vista

¿Un ojo o dos?

Enseña la importancia de tener dos ojos

▶ Dile a tu hijo que sostenga un lápiz en cada mano y que alargue los brazos al frente.

▶ Pídele que cierre un ojo e intente unir los extremos de los dos lápices.

▶ Ahora dile que lo haga con los ojos abiertos.

▶ Con los dos ojos es más fácil, ya que cada ojo ve la imagen desde un ángulo diferente y proporciona una mayor percepción de la profundidad.

▶ También se puede hacer esta actividad con los dedos.

«¡Déjalo caer!»

Enseña técnicas de cálculo

- Necesitarás monedas o botones y un vaso.
- Siéntate a una mesa frente a tu hijo.
- Pon el vaso sobre la mesa frente a ti y a 60 cm del niño.
- Dile que cierre un ojo y sostén una moneda en el aire, encima del vaso.
- Deberá decir: «¡Déjalo caer!» cuando crea que tu mano está alineada de tal forma que, al soltar la moneda, ésta vaya a parar dentro del vaso.
- Cuando diga «¡Déjalo caer!», suelta la moneda y observa si cae en el vaso.
- Dile que abra los dos ojos e inténtalo de nuevo. Hazlo varias veces alejando y aproximando el vaso.
- Explícale las diferencias.
- Pregúntale: «¿Cae la moneda en el vaso más a menudo cuando usas los dos ojos?».
- Pregúntale: «¿Cae la moneda en el vaso más a menudo cuando el vaso está más cerca de ti?».

Ábrelos, ciérralos

Enseña a seguir instrucciones

▶ Invita a tu hijo a recitar el poema siguiente y a realizar los movimientos indicados con los ojos.

Ábrelos, ciérralos, adaptado por Jackie Silberg
Ábrelos, ciérralos (abre y cierra los ojos).
Ábrelos, ciérralos (abre y cierra los ojos).
Ahora mira al suelo (mueve los ojos hacia abajo).
Ábrelos, ciérralos.
Ábrelos, ciérralos.
Deja que emprendan el vuelo (mueve los ojos en círculo).
Mira ahora hacia los lados (mueve los ojos lentamente a derecha e izquierda).
Nombra tres cosas que has mirado (espera a que nombre tres cosas).
Después, tras parpadear,
uno de ellos has de guiñar (parpadea y haz un guiño).
¡Qué bien lo vas a pasar! (sonríe ampliamente).

Con una lupa
dentro de casa

Enseña a mirar las cosas de muy cerca

- Dale a tu hijo una lupa para que se ponga a mirar cuanto lo rodea en la habitación.
- Que empiece con la ropa y la piel.
- Luego puede observar los objetos domésticos.

Con una lupa
al aire libre

Enseña a comparar

- Sal fuera de casa y usa una lupa para examinar las cosas del entorno exterior, como por ejemplo, la nieve, hojas, hierba o insectos.
- Explícale por qué estas cosas se ven diferentes cuando se miran con o sin la lupa.

El sentido de la vista

El juego
de los binoculares

Enseña técnicas de observación

- Dale a tu hijo unos binoculares e invítalo a mirar.
- Si es posible, realiza este juego al aire libre.
- Sugiérele objetos que podría mirar con los binoculares, tales como pájaros en los árboles, el tirador de la puerta de una casa o flores en el jardín.
- Explícale por qué ve las cosas más cerca con los binoculares.
- Busca algo que pueda mirar muy a lo lejos.

Otro juego de binoculares

Enseña a reconocer los colores

▸ Dile a tu hijo que use los binoculares para mirar objetos de determinados colores. Por ejemplo: «Busca algo azul».

▸ Cuando lo encuentre, pregúntale qué es y míralo tú también.

▸ Invierte los roles. El niño te dirá que busques un objeto de un color determinado.

▸ **Nota:** Para este juego y también para el juego de binoculares (véase página anterior) puedes usar binoculares reales o simularlos pegando dos cilindros de cartón de papel higiénico. Si lo deseas, añade un cordón a los «binoculares» para que pueda llevarlos colgando del cuello.

▸ **Advertencia de seguridad:** Vigila a tu hijo si los lleva colgando para evitar riesgos de asfixia.

Un mundo de mil colores

Enseña vocabulario

▸ Recorta una abertura en el centro de un plato de cartón, lo bastante grande como para poder ver al través.

▸ Pega un trozo de papel de celofán de colores sobre la abertura.

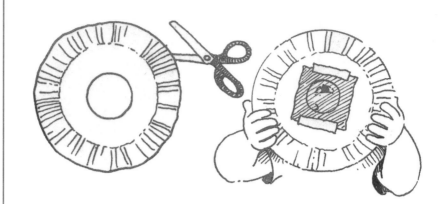

▶ Dale el plato a tu hijo y pregúntale qué aspecto tiene la habitación a través del celofán.

▶ Pregúntale qué aspecto tienes cuando te mira a través del celofán.

Explorando el color

Desarrolla las habilidades combinatorias

▶ Pide algunas muestras de colores de pintura en la droguería. Si es posible, consigue dos de cada.

▶ Las muestras son ideales para mostrar la variedad de colores disponibles.

▶ Dale las muestras a tu hijo y sugiérele que empiece a buscar cosas de colores similares en la habitación.

▶ **Consejo:** Con niños pequeñines, recorta las muestras y coloca las dos mitades en dos tarjetas separadas, creando llamativas parejas cromáticas.

Pálido y oscuro

Desarrolla la habilidad de razonamiento cognitivo

- Echa la misma cantidad de agua en tres recipientes idénticos.
- Añade una gota de colorante alimentario en uno de los recipientes, dos gotas en el segundo y tres en el tercero.
- Pide a tu hijo que los ordene de pálido a oscuro.
- Realiza esta actividad con diferentes colores.

Mezcla de colores

Enseña cosas acerca de los colores

- Observar cómo cambian los colores al mezclarse es una experiencia fascinante para los niños pequeños.
- Mezcla colorante alimentario amarillo y azul en un cuenco de agua.
- El niño verá que se transforman en verde.
- Pregúntale qué cree que ocurrirá si mezclas rojo y azul.
- Prueba el mismo juego con ceras de colores.
- Anima a tu hijo a experimentar con combinaciones de colores.

Cuentagotas

Desarrolla las habilidades motoras de precisión

- Llena de agua un pequeño recipiente.
- Añade colorante alimentario. Deja que tu hijo elija el color.
- Enséñale a llenar de agua un cuentagotas y a verterla en una cartulina.
- Anímalo a modelar letras y figuras con el agua coloreada.

Mosaico

Enseña cosas acerca de los colores

- Muestra a tu hijo algunos mosaicos para que se haga una idea de cómo son.
- A su lado, recorta unos cuantos trozos de papel de colores de diferentes formas.
- Enséñale a pegarlos en una cartulina para realizar su propio mosaico.

Juegos para aprender y estimular los sentidos

Móvil

Enseña cosas acerca de la luna y las estrellas

◗ Construye con tu hijo un móvil que brille en la oscuridad.
◗ Recorta figuras de estrellas y de la luna con cartulina.
◗ Píntalas con pintura fosforescente.
◗ Haz un orificio en cada pieza y pasa un hilo.
◗ Ata los trozos de hilo en una percha y cuelga el móvil del techo.

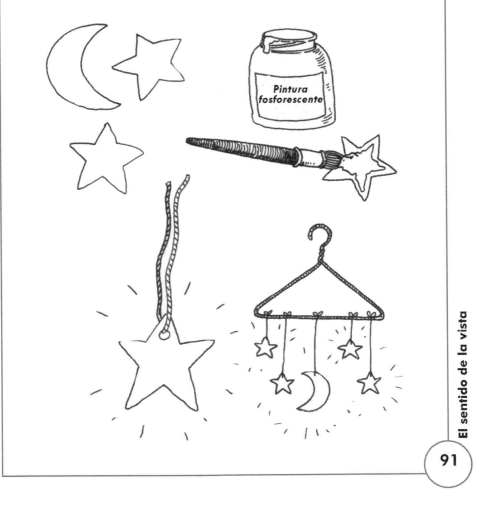

Pintura fosforescente

Ojos de caramelo

Desarrolla la creatividad

- Compra caramelos en forma de rosquilla.
- Aplica una gotita de adhesivo en el centro de un caramelo y pon una pasa de Corinto sobre la gota.
- Ya tienes un ojo con pupila e iris. Haz más.
- ¡A comerse los ojos!

La naturaleza y el color

Enseña técnicas de observación

JUEGO DE GRUPO

- Coloca varias tiras de cartulina de diferentes colores en una bolsa de cierre hermético.
- Sal al aire libre.
- Dile a tu hijo que elija un color de la bolsa.
- Dile ahora que se fije en el color de la tira de cartulina y que intente encontrar en el entorno algo del mismo color.
- Este juego requiere una buena dosis de discriminación visual.

Juegos para aprender y estimular los sentidos

Buscando colores

Desarrolla las habilidades de razonamiento

⬤ Selecciona tres colores y sal al aire libre con tu hijo para buscarlos en la naturaleza.

⬤ Dile que observe los árboles, edificios, coches, rótulos urbanos, etc.

⬤ A medida que encuentre cosas del mismo color, anótalo.

⬤ Una vez en casa, revisa la lista.

⬤ Háblale de cada color y de dónde vio cada cosa.

Canciones e imágenes

Desarrolla las habilidades combinatorias

- Elige una canción que a tu hijo le guste cantar, como por ejemplo «En el auto de papá».
- Sugiérele que busque imágenes que combinen con la canción en revistas y catálogos, tales como un coche, un bebé, niños, limpiaparabrisas, puertas, ventanas y ruedas.
- Selecciona varias imágenes y dile que las pegue en una cartulina. Así se obtiene la representación artística de «En el auto de papá».
- Repítelo con otras de sus canciones favoritas.

El color de los ojos

Enseña cosas acerca de los colores

- Dobla una hoja de papel blanco en cuatro partes.
- Dile a tu hijo que dibuje un hoja en una parte.
- Dale un espejo y sugiérele que mire sus ojos y diga de qué color son.
- Anímalo a colorear el ojo que ha dibujado del mismo color.
- En las otras tres partes del papel, dile que dibuje cosas que sean del mismo color que sus ojos. Por ejemplo, si son castaños, puede dibujar un fruto marrón (castaña, nuez...), un perro marrón o un zapato marrón.

Números en el espejo

Enseña técnicas de observación

- Escribe estos números en una pizarra: 0, 1, 2, 3, 4, 5, 6, 7, 8, 9 y 10.
- Escríbelos grandes y separados.
- Dile a tu hijo que los mire con un espejo.
- Pregúntale: «¿Qué números se ven igual en el espejo?» (0, 1, 8).
- Explícale por qué se ven igual.

El sentido de la vista

95

Letras en el espejo

Enseña técnicas de observación

- Escribe estas letras en una pizarra: A, B, C, D, E, F, G, H, I, J, K, L, M, N, O, P, Q, R, S y T.
- Escríbelas grandes y separadas.
- Dile a tu hijo que las mire con un espejo.
- Pregúntale: «¿Qué letras se ven igual en el espejo?» (A, H, I, M, O, T).
- Pregúntale ahora: «¿Sabes por qué se ven igual?».

El cilindro hablador

Enseña a actuar por turnos

JUEGO DE GRUPO

- Una forma de ayudar a los niños a aprender a hacer las cosas por turnos es usar una pista visual.
- Prueba con un «cilindro hablador», una tradición de algunas tribus nativas americanas.
- Dale el cilindro a un niño, dile que hable y que luego lo pase a otro niño para que haga lo mismo.
- Explícales que sólo puede hablar quien tiene el cilindro.
- **Nota:** Puedes confeccionar un cilindro hablador con cualquier cosa, como por ejemplo un lápiz, una rama de árbol o un rollo de cartón de papel higiénico. Sugiéreles que lo decoren a su gusto.

Veo, veo

Desarrolla las habilidades de escucha

- Es un juego excelente para desarrollar las habilidades de observación.
- Elige un objeto que todos puedan ver, pero sin decir cuál es.
- Dales pistas acerca del objeto y deja que intenten adivinar de qué se trata.
- El niño que lo adivine elegirá el siguiente objeto secreto.

Veo, veo con figuras

Enseña técnicas de observación

JUEGO DE GRUPO

- El mismo juego anterior, pero con figuras.
- Elige una figura geométrica en la habitación y anímalos a adivinar cuál es. Cuando alguien lo consiga, será su turno.
- Puedes usar círculos, triángulos y cuadrados.
- **Nota:** Los niños más pequeñines podrían necesitar ayuda para jugar.

El sentido de la vista

En busca del tesoro 1

Desarrolla las habilidades cognitivas

- Esconde cinco objetos en la habitación, tales como bloques de construcción, juguetes pequeños o coches.
- Dile a tu hijo que organice una «expedición» para encontrar el tesoro escondido.
- Cuando haya encontrado los cinco objetos, vuelve a jugar. Esta vez será él quien esconda los objetos.

En busca del tesoro 2

Enseña a seguir instrucciones

JUEGO DE GRUPO

- Organiza una búsqueda del tesoro con los niños. Acompáñalos de pista en pista. Por ejemplo:
  - Dales una tarjeta amarilla con el dibujo de un coche.
  - Deberán buscar un coche en la habitación y allí encontrarán otra tarjeta amarilla con el dibujo de una puerta.
  - En la puerta encontrarán otra tarjeta amarilla con el dibujo de una silla, y así sucesivamente.
  - Al final de la búsqueda debería haber un «tesoro» esperándolos (libro de cuentos, juguete nuevo, dulces, etc.).
- Dependiendo de la edad de los niños, el recorrido puede ser más largo o más corto.
- Es un magnífico juego cognitivo que además contribuye a desarrollar la agudeza visual.
- **Nota:** Las tarjetas puedes confeccionarlas con blocs de papel autoadhesivo.

¿Qué hay en la botella?

Desarrolla la agudeza visual

▶ Necesitarás una botella de agua o gaseosa de plástico transparente.

▶ Pon varios objetos pequeños en la botella, tales como lápices, botones, canicas, clips, etc.

▶ Llena la botella de sal y ajusta el tapón.

▶ Dile a tu hijo que dé vueltas a la botella. Los distintos objetos irán apareciendo.

▶ Anímalo a describirlos.

Mira a tus amigos

Enseña vocabulario

JUEGO DE GRUPO

▶ Organiza a los niños por parejas.

▶ Cada niño mirará a su pareja y describirá su aspecto: el color de los ojos, del pelo, cómo viste, etc.

▶ Ayuda a los niños en las descripciones.

▶ Este juego desarrolla la conciencia visual.

¿Quién falta?

Enseña técnicas de observación

JUEGO DE GRUPO

- Los niños se sentarán en círculo, con los ojos cerrados.
- En silencio, elige un niño y dile que se esconda.
- Diles a los niños que abran los ojos y que miren a su alrededor para saber quién falta.
- Si es necesario, dales pistas: «Hoy viste de rojo».

Cerca y lejos

Enseña técnicas de observación

- Haz dos dibujos de un mismo objeto, uno pequeño y otro grande.
- Por ejemplo, dibuja un avión grande y otro pequeño.
- Pregunta: «¿Cuál está más cerca y cuál está más lejos?».
- Sal de paseo con tu hijo. Cuando veas un avión pregúntale: «¿Está cerca o lejos?».

El botón

Enseña técnicas de concentración

▶ Los niños deben sentarse formando un círculo. Elige a uno para que se siente en el centro.

▶ Los niños del círculo deberán pasarse un botón de mano en mano por detrás de la espalda.

▶ El niño sentado en el centro tendrá que prestar atención para adivinar quién tiene el botón.

▶ Cuando crea saberlo, dirá el nombre del niño.

▶ Si lo adivina, se incorporará al círculo, y el niño que tenía el botón ocupará su lugar en el centro.

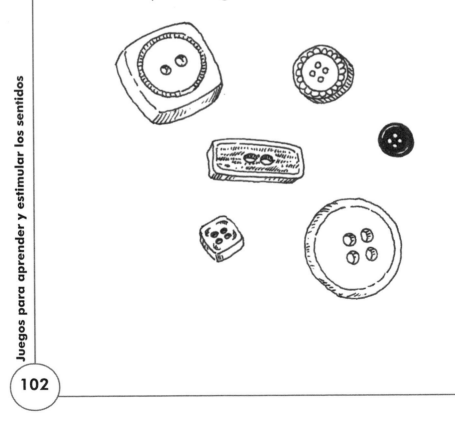

Cabezas y cuerpos

Desarrolla la imaginación y la creatividad

- Pega una foto de tu hijo en una hoja de papel.
- Hojea con él revistas y periódicos, y recorta imágenes de personas, animales y personajes de dibujos animados.
- Recorta la cabeza de estas imágenes y colócalas, una tras otra, sobre la de tu hijo en la fotografía, para ver qué aspecto tendría con otra cara.
- Ahora ve colocando el cuerpo de las personas, animales o dibujos animados que has recortado sobre la foto del niño para ver qué aspecto tendría con otro cuerpo.
- Es un juego muy divertido. ¡Imagina cómo se vería tu hijo con el cuerpo de un payaso o la cabeza de un gatito!

¿Qué ves?

Enseña técnicas de observación y vocabulario

- Se puede jugar dentro o fuera de casa.
- Pregúntale a tu hijo: «¿Qué ves?».
- El niño deberá responder formando una frase: «Veo un cuadro con árboles y una montaña».

Combinación de imágenes

Desarrolla la creatividad

- Busca imágenes de acciones en revistas y recórtalas por la mitad, verticalmente. Pon las mitades en dos montoncitos.
- Dile a tu hijo que elija una imagen de uno de los montoncitos.
- Sugiérele que imagine cómo debería ser la mitad que falta. Luego, deja que la busque en el otro montoncito.

Juegos para aprender y estimular los sentidos

¿Recuerdas?

▸ Pon cinco objetos sobre la mesa, como por ejemplo, un lápiz, un bloque de construcción, una cucharilla, un cepillo para los dientes y una pastilla de jabón.

▸ Enséñale a tu hijo cómo se llama cada objeto.

▸ Tápalos con una servilleta.

▸ Destápalos y deja que los mire durante cinco segundos. Vuelve a taparlos y pídele que te diga qué objetos son.

▸ Destápalos una vez más, y comprueba si ha olvidado alguno.

▸ Hazle preguntas: «¿Cómo recordamos los objetos?»; «¿De qué color son?»; «¿Los utilizas con frecuencia?»; «¿Cómo nos ayudan los ojos a recordar?».

Ojos para leer

Enseña técnicas de lectura

▸ Mientras lees un cuento a tu hijo, procura señalar al mismo tiempo las palabras para que vaya aprendiendo a concentrarse y reseguir la letra impresa.

▸ Organiza juegos visuales con el libro que estás leyendo. Pídele que busque una imagen determinada en una página.

El sentido de la vista

105

Linterna

Desarrolla las habilidades de razonamiento

- Coloca varios objetos en fila junto a una pared, como por ejemplo un vaso, un peluche, una pelota, etc.
- Apaga la luz.
- Siéntate con tu hijo en el otro extremo de la habitación.
- Nombra un objeto y dile que lo busque con la ayuda de una linterna.
- Juega por turnos.

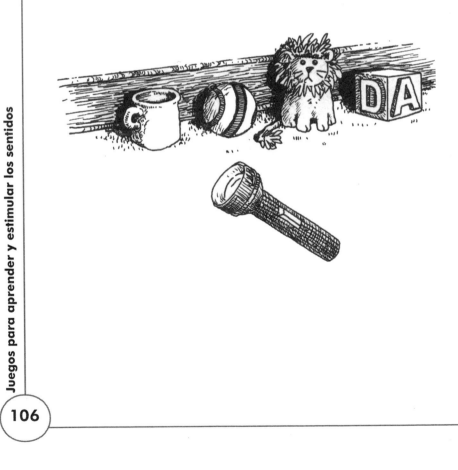

Sol y sombra

Enseña técnicas de observación

- Sal de paseo con tu hijo un día soleado.
- Busca lugares a la sombra.
- Llama su atención sobre cómo proyectan sombra los edificios y los árboles.
- Explícale que sus ojos se ajustan a la luz en los lugares soleados y a la penumbra en los lugares a la sombra.
- Dile que pase de un lugar al sol a otro a la sombra caminando, gateando, saltando o de puntillas.
- Pregúntale: «¿Te sientes igual sentado al sol y sentado a la sombra?».

Jugando con la sombra

Enseña cosas acerca de la sombra

- Sal de paseo con tu hijo un día soleado y dile que observe su sombra.
- Anímalo a moverse para que su sombra cambie de forma. Puede ser corta, alargada, grande, pequeña, etc.
- Traza la silueta de la sombra de tu hijo con una tiza.

Mirando las estrellas

Desarrolla la conciencia del universo

- Cuando haya oscurecido, siéntate con tu hijo en el jardín y mira las estrellas.
- Llama su atención sobre cómo centellean.
- Háblale de las estrellas y de lo lejos que están.
- Busca un avión sobrevolando el cielo nocturno. Sus luces parecen estrellitas.
- Sugiérele que busque figuras de personas, animales u otros objetos entre las estrellas.
- Enséñale libros con fotos de estrellas, mapas estelares y nebulosas. Su colorido es extraordinario.

Hojas

Enseña cosas acerca de la naturaleza

- Ayuda a tu hijo a describir el aspecto de varias hojas única y exclusivamente con el sentido de la vista.
- Describe el color. Pregúntale: «¿Tiene venas?»; «¿Tiene motitas?»; «¿Tiene el borde dentado?»; «¿Es rugosa?».
- Esta actividad es más difícil sin recurrir al tacto.
- Muéstrale libros con fotos de hojas y árboles.

El sentido de la vista

Nubes

Desarrolla la imaginación

- Sal al jardín con tu hijo y siéntate en el suelo. Mira las nubes en el cielo.
- Háblale de los diferentes colores de las nubes. «¿Por qué unas nubes son más oscuras que otras?»
- Háblale también de las diferentes formas de las nubes. Anímalo a imaginar formas de personas, animales u objetos. «¿Parece una barca, un patito o un caballo?»
- Pregúntale: «¿Puedes ver el sol detrás de las nubes?».

Juegos para aprender y estimular los sentidos

Figuras geométricas

Enseña cosas acerca de las figuras geométricas

- Mirar con atención las cosas del entorno requiere mucha concentración.
- Dile a tu hijo que busque formas geométricas en la habitación: cuadrados, círculos y triángulos.
- Dale pistas: «Fíjate en las cajas, puertas, cuadros, pelotas...».
- Anímalo a observar atentamente el entorno y a descubrir figuras y diseños interesantes. Por ejemplo, dile que mire la ventana y se fije en que los cristales están separados.
- Dile que observe detenidamente el suelo, el techo y las paredes. Pregúntale: «¿Ves formas o figuras?».
- Esta actividad es extraordinaria para desarrollar la agudeza visual.

Ojos de camaleón

Desarrolla las habilidades de razonamiento

- Los ojos del camaleón se mueven independientemente. El camaleón puede ver en dos direcciones diferentes al mismo tiempo.
- Pregunta a tu hijo: «¿Te gustaría ver en dos direcciones al mismo tiempo? ¿Por qué?».

El sentido de la vista

Los ojos de los animales

Enseña cosas de los animales y su sentido de la vista

- Algunos animales tienen los ojos situados en la parte delantera de la cabeza para poder enfocar con claridad mientras buscan alimentos. Se llaman «depredadores», y entre ellos figuran el león, el leopardo y el búho.
- Los animales cuyos ojos están situados a los lados de la cabeza se denominan «no depredadores». Pueden ver alrededor de su cuerpo, lo cual les permite detectar a los depredadores y huir. Entre ellos se cuentan los conejos y las ardillas.
- Muéstrale a tu hijo revistas de la naturaleza y dile que identifique el tipo de ojos de los diferentes animales, de depredador o de no depredador.

Ojos de águila

Desarrolla la conciencia del entorno

- Las águilas son capaces de localizar un ratón en un campo en pleno vuelo.
- La excelente visión del águila le permite enfocar los objetos de frente y lateralmente sin necesidad de mover la cabeza.
- La vista del águila es cuatro veces más potente que la de una persona con visión perfecta.
- Pregunta a tu hijo: «¿Qué puedes ver sin mover la cabeza?».

Ojos de escorpión

Desarrolla el pensamiento creativo

- Los escorpiones pueden tener hasta doce ojos.
- Pregunta a tu hijo:
  - Si tuvieras doce ojos, ¿dónde estarían?
  - Si tuvieras ojos en los pies, ¿qué verías con ellos?
  - Si tuvieras ojos en la espalda, ¿qué podrías ver?

Ojos compuestos

Desarrolla las habilidades cognitivas

- ¡Imagina que tuvieras ojos en todo el cuerpo! En los brazos, en los pies, en la espalda... Ojos en todas partes.
- Las mariposas pueden ver arriba, abajo, adelante, atrás y a los lados al mismo tiempo.
- Las mariposas pueden distinguir muchísimos colores, muchos más que los seres humanos.
- Pregunta a tu hijo: «Si tuvieras ojos en los brazos, ¿qué verías?»; «¿Qué podrías ver si tuvieras ojos en la espalda o en los pies?».

África

Enseña vocabulario de otra lengua

▶ Ésta es una canción zulú que habla de lo que se puede
ver en África.

Caminando por África, ¿qué veo allí?
Veo a una inyoka mirándome a mí.
Caminando por África, ¿qué veo allí?
Veo a una ufudu mirándome a mí.
Caminando por África, ¿qué veo allí?
Veo a un indlovu mirándome a mí.
Caminando por África, ¿qué veo allí?
Veo a una ikhozi mirándome a mí.

Notas

inyoka: serpiente
udufu: tortuga
indlovu: elefante
ikhozi: águila

CAPÍTULO 3

EL SENTIDO DEL
Tacto

El sentido del tacto es el más primitivo y omnipresente de los cinco. Mientras que los cuatro restantes (vista, oído, olfato y gusto) están ubicados en partes específicas y diferenciadas del cuerpo, el sentido del tacto se origina en la capa inferior de la piel: la dermis. Todas las áreas de tu cuerpo, incluyendo las uñas, se usan para tocar. Los terminales nerviosos en la piel envían señales al cerebro, que las analiza, y entonces percibes los efectos del tacto.

Las actividades de este capítulo exploran las manos y la piel, cómo las usamos para tocar y sentir las cosas, y cómo influye el sentido del tacto en el aprendizaje y el disfrute en la vida.

Aspectos interesantes acerca de los animales y el sentido del tacto

- Los bigotes de los gatos actúan a modo de receptores sensitivos. Estos pelos tan especiales sobresalen de las mejillas y el mentón, y también encima de los ojos. Los gatos se muestran activos por la noche, y sus bigotes les permiten desplazarse con seguridad sin luz.

Son tan sensibles que pueden detectar hasta el menor cambio de dirección de la brisa.

▶ Los animales que duermen durante el día y están activos por la noche se llaman «nocturnos». Tienen un sentido del tacto muy desarrollado que les proporciona información del entorno. Entre los animales nocturnos se incluyen los murciélagos, leopardos, tigres y lobos.

▶ Los animales también se valen del sentido del tacto para comunicarse y encontrar alimentos. Los receptores táctiles suelen concentrarse en determinadas partes del cuerpo (los bigotes en los felinos, etc.).

Recita el siguiente poema y realiza las acciones sugeridas.

Un ojo salió a bailar (tócate un párpado),
el otro lo acompañó (tócate el otro párpado).
La nariz todo lo olió (tócate la nariz).
La boca se lo comió (tócate la boca).
La barbilla protestó (tócate el mentón)
y en la barriga acabó (tócate la barriga).

Manos

Desarrolla la conciencia corporal

▶ Dile a tu hijo que se toque una mano con la otra. Si cierra los ojos, se concentrará mejor.

▶ Dile ahora que decida si el dorso de la mano es más suave que la palma.

▶ Llama su atención sobre la suavidad de las uñas al deslizarse por la mano.

▶ Dile ahora que abra los ojos y observe atentamente la mano que acaba de tocar.

▶ Enséñale las arrugas en los nudillos y las venas en el dorso de la mano, las líneas en la palma y las huellas dactilares.

¿Qué puedo hacer con las manos?

Desarrolla las habilidades de razonamiento

▶ Pídele a tu hijo que te diga cosas que se pueden hacer con las manos.

▶ Empieza la conversación diciendo: «Con las manos siento el frío y el calor. ¿Qué puedes hacer tú con las tuyas?». Veamos algunas sugerencias:
«Ráscate la cabeza. ¿Qué sientes?»
«Da una palmada. ¿Qué sientes?»

▶ A medida que diga cosas, ayúdalo a escribir las respuestas en una hoja de papel.

Sin manos

Desarrolla la paciencia

- Siéntate con tu hijo y dile que ponga las manos en la cabeza o el regazo. Sugiérele que intente hacer cosas sin usar aquéllas.
- Si lo deseas, puedes utilizar un reloj para medir el tiempo que pasa antes de darse por vencido.

Saludo

Enseña técnicas sociales

- Estrechar la mano es una forma de saludar a otra persona.
- Enseña a tu hijo diferentes maneras de estrechar la mano: con delicadez o vigorosamente.
- Practica con él estas dos formas de estrechar la mano.
- «¡Choca esos cinco!»

¿Cómo se dice «mano» en...?

Enseña a decir esta palabra en otras lenguas

- ▶ En inglés se dice «hand».
- ▶ En francés se dice «main».
- ▶ En italiano se dice «mano».
- ▶ Dile a tu hijo que construya frases acerca de la mano sustituyendo esta palabra por su equivalente en otro idioma. Por ejemplo, podrías decir: «Aquí está mi *hand*», señalando la mano, o «Con mi *main* me rasco cuando me pica la cabeza», mientras se rasca, etc.

Tacto

Desarrolla la conciencia corporal

- ▶ Dile a tu hijo que se concentre en lo que están haciendo las manos mientras realiza las acciones con las dos al mismo tiempo, y recita el siguiente poema:

Tacto, de Jackie Silberg
Puedo tocarme los ojos y el pelo.
Si me levanto me apoyo en el suelo.
Ahora la oreja y la nariz me toco.
Y luego sentado al pie llego por poco.

¿Quién es?

Desarrolla las habilidades de razonamiento

JUEGO DE GRUPO
- Sienta a los niños en círculo.
- Elige uno y véndale los ojos. Los demás deberán permanecer en silencio.
- Conduce al niño con los ojos vendados hasta otro niño y, sin que nadie hable, dirige sus manos hasta su rostro.
- Dile al niño con los ojos vendados que intente adivinar con el tacto de qué niño se trata.

Juego de combinaciones

Desarrolla las habilidades combinatorias

- Dispón parejas de objetos sobre la mesa, tales como dos cucharas, dos tenedores, dos lápices, etc.
- Pon un objeto de cada pareja dentro de una bolsa de tela.
- Deja la pareja del objeto en la mesa.
- Pide a tu hijo que encuentre un objeto en la bolsa que sea igual al que tú has seleccionado; por ejemplo: «¿Puedes encontrar el tenedor?».
- El niño debe meter la mano en la bolsa sin mirar, identificando el objeto con el tacto.

Toca la habitación

Desarrolla las habilidades de clasificación

▶ Dile a tu hijo que camine por la habitación y que busque diferentes texturas.

▶ Cuando se haya familiarizado con el tacto de cada textura, dile que busque algo suave. Pregúntale cuántas cosas suaves es capaz de encontrar.

▶ Continúa con cosas duras, ásperas, frías y cálidas.

Sensaciones

Desarrolla las habilidades de razonamiento

▶ Dile a tu hijo que experimente las sensaciones siguientes:
  ▶ Pon juntos los dedos índice y presiónalos. Notará la sensación de presión en las manos.
  ▶ Frota los dedos índice en cada mano y sentirá un tacto suave.
  ▶ Toca un cubito de hielo con los dedos. ¿Qué sensación experimenta?
  ▶ Introduce los dedos en un cuenco de agua tibia. ¿Qué siente?

Arañas

Enseña cosas acerca de las arañas

- Las arañas reconocen el entorno percibiendo las vibraciones en el aire.
- Su sentido de la vista es escaso; sólo pueden ver la luz, la oscuridad y las formas básicas.
- Cuando algo mueve la telaraña, la araña siente la vibración del aire.
- Agita una hoja de papel sobre la mano de tu hijo para que sienta el movimiento del aire. Ahora deja de agitarla y pregúntale si nota la diferencia.

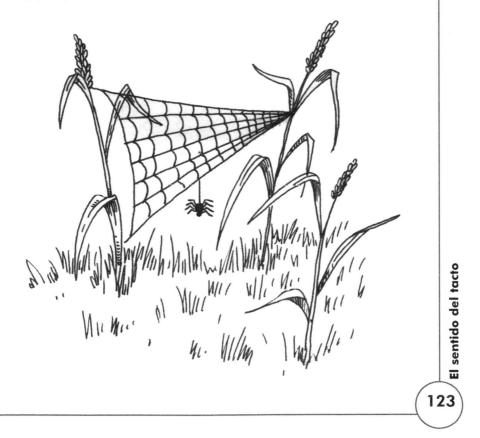

¿Dónde está el tacto?

Desarrolla la conciencia corporal

- Venda los ojos a tu hijo.
- Con la punta de un bolígrafo o rotulador tócale un punto cualquiera de la piel, dejándole una leve marca de tinta.
- Siempre con los ojos vendados, dale un bolígrafo o rotulador de otro color y dile que toque el mismo punto de su piel que acabas de tocar.
- ¿Se ha aproximado a ese punto?
- Este juego divierte mucho a los niños y desarrolla la conciencia de su sentido de la vista y del tacto.

Tocar los pies

Desarrolla las habilidades lingüísticas

- Dile a tu hijo que se quite los zapatos y los calcetines.
- Hazlo caminar por el barro, por la arena, sobre piedras y por el agua.
- Pídele que describa la sensación que ha experimentado al pisar cada material y que compare las sensaciones.

Otro juego con los pies

Enseña vocabulario

- Llena la base de tres cajas de zapatos con otros tantos materiales de diferente textura, como por ejemplo, papel de lija, algodón y terciopelo.
- Dile a tu hijo que se quite los zapatos y los calcetines, y que pise el interior de cada caja.
- Comenta con él cada sensación usando términos descriptivos tales como «duro», «blando», «áspero», etc.

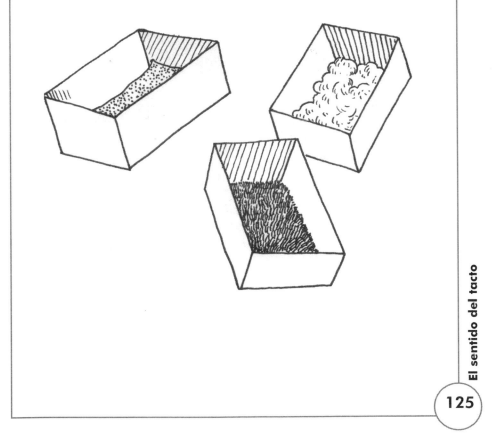

Los pies en las manos

Desarrolla la coordinación

▶ Dibuja la silueta de tus manos en una variedad de materiales, tales como madera, moqueta, plástico, cuero, seda y otros de texturas interesantes.

▶ Recorta las siluetas.

▶ Pégalas en el suelo con cinta adhesiva, formando un recorrido.

▶ Dile a tu hijo que camine siguiendo el recorrido con los pies descalzos.

▶ Coloca las siluetas girando, retrocediendo, avanzando y en zigzag.

▶ Sugiérele que lo repita gateando.

Plástico de burbujas

Desarrolla las habilidades motoras

▶ Pega en el suelo, con cinta adhesiva, una lámina grande de plástico de burbujas.

▶ Dile a tu hijo que se quite los zapatos y los calcetines y que camine sobre el plástico.

▶ Anímalo a que camine de diferentes maneras, como por ejemplo, normal, de puntillas, dando saltitos, corriendo y caminando sobre los talones.

▶ Sugiérele que intente caminar sobre el plástico sin que estallen las burbujas.

Juegos con pompas y burbujas

Desarrolla la coordinación

- Soplar pompas de jabón y observar cómo estallan en el aire es muy divertido.
- También puedes recortar retales de plástico de burbujas y dejar que tu hijo las haga estallar.
- Enséñale a estrujar el plástico con las manos para que estallen las burbujas o ponlo en el suelo y dile que camine o salte.
- A los niños les fascina esta experiencia táctil.

El rincón del tacto

Estimula el sentido del tacto

- Acondiciona un «Rincón del tacto» con objetos interesantes al tacto, tales como papel de lija, arena, piel, fieltro, terciopelo, algodón, lana, guijarros, plástico, una naranja o limón y otros objetos de texturas diferentes.
- Este «Rincón del tacto» dará a tu hijo la oportunidad de experimentar distintas sensaciones táctiles.

El poema del tacto

Desarrolla las habilidades de escucha

▶ Recita con tu hijo el siguiente poema acerca del sentido del tacto al tiempo que realiza las acciones sugeridas:

Tócate los hombros,
luego las rodillas.
tócate la espalda
y ahora la barbilla.

Tócate los codos,
luego los pies,
tócate ahora el pelo,
y la nariz del revés.

Si tocas la pared
y luego el suelo,
toca después la mesa:
¡cumplido tu anhelo!

¿Qué sientes?

Desarrolla la concentración

- Dile a tu hijo que identifique las sensaciones que le produce un objeto frío, caliente, suave o áspero por el contacto con la piel.
- Dile ahora que cierre los ojos, o véndaselos.
- Toca un objeto, como por ejemplo, una manzana (suave), una piedra (áspero) o un cubito de hielo (frío) con los dedos o la mano, y pregúntale qué siente.

Tocar la piel

Desarrolla la conciencia corporal

- La piel es el órgano del cuerpo que se usa para el tacto. Cada milímetro de la piel, incluyendo las uñas, suministra información táctil al cerebro.
- Algunas partes de nuestro cuerpo (manos, pies y dedos) son más sensibles al tacto que otras.
- Toma un objeto de superficie irregular (por ejemplo, una esponja húmeda) y toca cualquier parte del cuerpo de tu hijo, exceptuando las manos (rodilla, codo, etc.).
- Luego tócale las yemas de los dedos, mucho más sensibles que otras partes del cuerpo.

Sensibilidad corporal

Desarrolla las habilidades de razonamiento

- Este juego ayuda a los niños a experimentar diferentes sensaciones en distintas partes del cuerpo.
- Reúne varios objetos de formas, tamaños y texturas interesantes, tales como una pelota de tenis, una goma de borrar, una piedra, una esponja, una piña de pino, una cuchara de madera y un retal de terciopelo.
- Dile a tu hijo que cierre los ojos y que toque con cada objeto diferentes partes de su cuerpo: las manos, la nuca, el codo, el pie, etc.
- Pregúntale:
  - «¿Te ha costado identificar el objeto?»
  - «¿Te sería más fácil identificarlo con los dedos?»
- Explícale lo fácil que es reconocer un objeto usando las manos comparado con cualquier otra parte del cuerpo.

Temperatura

Enseña los conceptos «frío» y «caliente»

- Calienta muy ligeramente algunos objetos cotidianos, como por ejemplo una toalla, un juguete pequeño o un peluche.
- Deja que tu hijo los toque.
- Enfríalos en el frigorífico.
- Deja que los toque de nuevo.
- Compara las sensaciones.

Tabla de sensaciones

Enseña vocabulario

▶ Escribe términos descriptivos en la parte superior de una hoja de papel, incluyendo palabras tales como «caliente», «frío», «húmedo», «seco», «duro», «blando», «suave» y «áspero».

▶ Reúne diversos objetos y muéstraselos a tu hijo.

▶ Elige uno, como por ejemplo, un cubito de hielo, y pregúntale si es frío o caliente, húmedo o seco.

▶ Escribe la palabra «cubito de hielo» en una columna debajo de los términos descriptivos. Marca con una cruz las casillas correspondientes.

▶ Continúa con otros objetos cotidianos.

Tabla de sensaciones

	Caliente	Frío	Húmedo	Seco	Duro	Blando	Áspero	Suave
Objeto								
Cubito de hielo								
Cepillo								
Gelatina								

Arena

Enseña vocabulario

- Cubre una mesa con papel de periódico.
- Llena de arena un recipiente hondo (molde para hornear, olla, sartén, etc.) y ponlo sobre la mesa.
- Añade un vaso de agua.
- Deja que sea tu hijo el que vaya echando el agua en el recipiente.
- A medida que la arena se humedezca y cambie de textura, explícale lo que está ocurriendo y sugiérele que describa lo que siente al tocar la arena con palabras como blanda, fría y otros términos descriptivos.

Espuma de afeitar

Desarrolla la creatividad y la imaginación

- Necesitarás una mesa o superficie que puedas mojar (encimera de la cocina, etc.).
- Humedece una servilleta de papel y frótala sobre la mesa.
- Echa un poquito de espuma de afeitar en la mesa húmeda.
- Dile a tu hijo que la extienda por toda la superficie, y que luego trace diseños y figuras a su antojo.
- Dile que describa la textura de la espuma de afeitar.
- **Nota:** Es recomendable usar un delantal para realizar esta actividad.

El sentido del tacto

133

Arcilla

Desarrolla las habilidades motoras de precisión

- Dale a tu hijo un poco de arcilla o plastilina.
- Dile que modele los objetos que se le ocurran.
- Pídele que describa cómo está usando las manos para modelar la arcilla o plastilina.
- Esta actividad estimula la expresión creativa con las manos.

Barro doméstico

Enseña los conceptos «espeso» y «fino»

- A los niños les encanta jugar con barro. Es una actividad sensorial muy divertida.
- Si quieres hacerlo en casa, mezcla almidón con un poco de agua y remuévelo bien. Añade agua fría hasta que adquiera la consistencia correcta. Debería quedar bastante compacto al amasarlo en la mano, pero no demasiado. Si ha quedado excesivamente espeso, añade más agua y, si le falta consistencia, añade almidón.
- Dile a tu hijo que toque el barro antes y después de añadir más agua o más almidón.
- Puedes colorearla con colorante alimentario.
- Guarda este barro doméstico en el frigorífico después de usarlo.
- Anima al niño a explorar su textura con las manos.

Pintar con texturas

Desarrolla las habilidades motoras de precisión

- Deja que tu hijo pinte con los dedos con materiales de diferentes texturas, tales como almidón o espuma de jabón.
- Añade témperas en polvo para colorear los materiales.
- Si lo deseas, también puedes añadir serrín o materiales de otras texturas.
- Es una forma ideal de experimentar texturas e interiorizar la sensación que produce cada una de ellas.

Pintar sobre texturas

Desarrolla las habilidades de razonamiento

- Dale a tu hijo pintura témpera, pinceles y superficies en las que pintar que tengan distintas texturas, como por ejemplo, cartón corrugado, papel de lija o espuma de poliuretano.
- Anímalo a pintar sobre estas superficies texturadas.
- Pídele que describa las similitudes y las diferencias al pintar sobre cada tipo de superficie.

El sentido del tacto

Texturas interesantes

Enseña vocabulario

- Añade diferentes materiales, como por ejemplo arena, sal, granos de café o de maíz a pintura témpera para darle textura.
- Dale a tu hijo papel y pinceles.
- Enséñale a pintar con estas texturas y pídele que describa su aspecto y la sensación que experimenta al tacto.

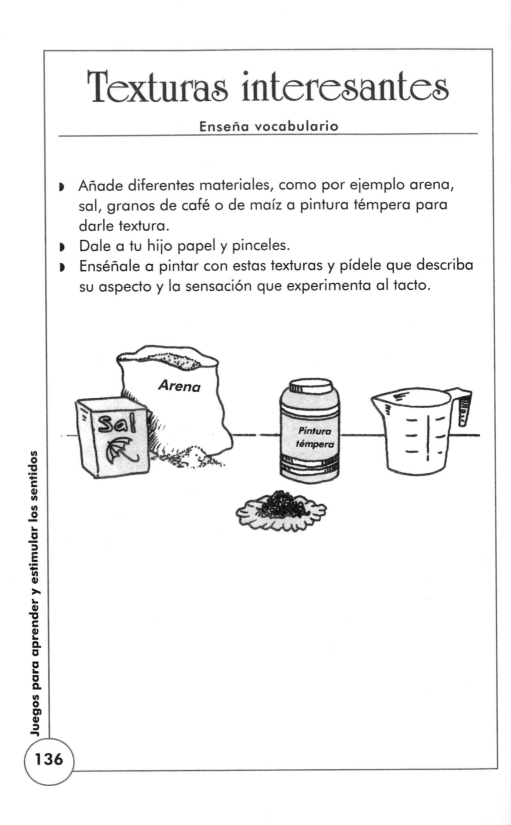

Libro de texturas

Enseña vocabulario

- Confecciona un libro de texturas etiquetando cada página con el nombre de una de ellas: «áspero», «suave», «rugoso», «blando», «duro», etc.
- **Nota:** Utiliza un bloc en blanco o confecciona tu propio libro grapando hojas de papel y luego cubriendo las grapas con cinta adhesiva.
- Pega en cada página, con cinta adhesiva o pegamento, el material texturado. Por ejemplo, un trozo de papel de lija en la página con la etiqueta «áspero», etc.
- Si lo deseas, puedes añadir un breve texto explicativo o incluso un sencillo guión a modo de historia o cuento.

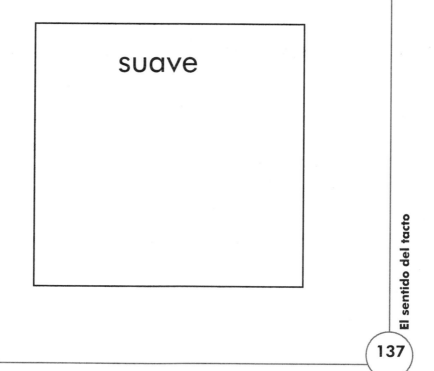

suave

Puedo tocar con las manos

Desarrolla las habilidades de raznamiento

◗ Dibuja la silueta de la mano de tu hijo en una hoja de papel.
◗ Dile que cite cinco cosas que le gustaría tocar.
◗ Escribe esas cinco cosas en los dedos de la mano que has dibujado.
◗ Sugiérele que dibuje las cinco cosas que le gustaría tocar junto a cada uno de los dedos o que recorte ilustraciones de revistas y las pegue.

Manos de cartulina

Desarrolla la expresión artística

◗ Dibuja la silueta de la mano de tu hijo en una lámina de cartulina y recórtala.
◗ Dale diferentes cosas para pegar en la mano, en cada dedo o en las uñas, tales como papel de lija, bolitas de algodón, un retal de piel, un trozo de terciopelo, tela con estampados en relieve y cuentas.
◗ Dile que describa las texturas de la mano que ha diseñado.

Muñeco con texturas

Desarrolla la creatividad

- Confecciona un muñeco con diferentes telas y objetos texturados. Puedes utilizar bolitas de algodón, botones, retales de fieltro, etc.
- Recorta un círculo de fieltro para el cuerpo, usa otros materiales para los brazos y las piernas, y bolitas de algodón para los ojos.
- Procura que la variedad de materiales sea lo más amplia posible.
- Anímalo a describir las texturas que ha utilizado para confeccionar el muñeco.

Frotado a lápiz

Desarrolla las habilidades motoras de precisión

- Reúne varias hojas de diferentes formas y tamaños.
- Invita a tu hijo a experimentar con la textura de las hojas.
- Ayúdalo a confeccionar un frotado colocando una hoja de papel sobre una o más hojas y enseñándole a pasar el lápiz sobre la superficie de las hojas con la mina inclinada.
- Háblale de la textura de las hojas que ha diseñado.

El sentido del tacto

Mi nombre con texturas

Desarrolla la creatividad

- Ayuda a tu hijo a escribir su nombre en un plato de cartón.
- Llévalo de paseo al parque y recoge materiales para pegar en las letras: pequeños guijarros, briznas de hierba, gravilla, ramitas, etc.
- Cuando creas tener suficientes, dile que lo pegue, una vez en casa, sobre las letras que ha escrito en el plato.
- Es un precioso motivo decorativo con el nombre de tu hijo adornado con texturas naturales.

Papel pintado

Desarrolla la creatividad y el diseño artístico

▸ Los viejos muestrarios de papel pintado son una fuente extraordinaria de experiencias táctiles.

▸ Abre el muestrario por una página cualquiera.

▸ Dile a tu hijo que observe el diseño y que lo describa sin tocarlo.

▸ Luego deja que lo toque y que describa la sensación que le produce.

Manzanas y naranjas

Enseña a contar

▸ Pon tres manzanas y tres naranjas en una bolsa grande de plástico opaco.

▸ Pregúntale a tu hijo cuántas manzanas y cuántas naranjas hay en la bolsa. Deberá adivinarlo única y exclusivamente mediante el sentido del tacto.

Fruta

▶ Pon una naranja, una manzana y un plátano por separado en tres bolsas de plástico opaco.

▶ Dile a tu hijo que cierre los ojos y que identifique la fruta que hay en cada bolsa tocándola por fuera.

▶ Pregúntale cómo ha conseguido adivinar lo que había en cada bolsa.

La bolsa de los misterios

Enseña vocabulario

▶ Llena tres bolsas de plástico con diferentes materiales texturados. Por ejemplo, arena, pequeños guijarros y plastilina.

▶ Deja que tu hijo toque las bolsas y describa lo que siente al tocarlas.

▶ Es importante ayudarlo a identificar el vocabulario adecuado: «duro, blando, escurridizo, suave», etc.

Desenvuelve el regalo

Desarrolla las habilidades motoras de precisión

▪ Envuelve varios juguetes pequeños en diferentes tipos de papel: de aluminio, plástico, tela, etc.
▪ A medida que tu hijo desenvuelva cada regalo, háblale de la sensación que produce cada papel al tacto. Usa palabras tales como «suave», «rugoso», «resbaladizo», etc.

¿Qué estoy tocando?

Desarrolla las habilidades de escucha

JUEGO DE GRUPO

▪ Coloca varios objetos de texturas diferentes (esponja, piedra, retal de terciopelo, etc.) en un recipiente.
▪ Explícale a tu hijo qué es cada objeto y dile que los toque.
▪ Retira de su vista el recipiente y anúnciale que vas a describir uno de los objetos.
▪ Por ejemplo, di: «Noto algo duro y áspero», y luego pídele que intente adivinar lo que estás tocando.
▪ Continúa describiendo los demás objetos.

El sentido del tacto

Descripción sensorial

Desarrolla las habilidades lingüísticas

▶ Pon varios objetos dentro de una bolsa, como por ejemplo, una pelota, una cuchara, una piedra y una hoja.

▶ Deja que los niños vean lo que pones en la bolsa.

▶ Pide a uno de ellos que introduzca la mano en la bolsa y tome un objeto, pero sin sacar la mano, de manera que los demás niños no vean el objeto elegido.

▶ Dile que lo describa en voz alta sólo con el tacto. Pregúntale si es largo, plano, redondo, suave, blando, duro, etc.

▶ El niño que adivine de qué objeto se trata, será el siguiente en introducir la mano en la bolsa.

▶ **Variación:** Pide a otro niño que busque otro objeto más grande o más pequeño que el anterior, valiéndose únicamente del tacto.

El tacto y la naturaleza

▶ Lleva a tu hijo de paseo al parque.

▶ Dile que vaya tocando cuanto quiera y ayúdalo a describir con palabras las sensaciones que experimenta al tocarlo.

▶ Algunas sugerencias: hojas, flores, hierba, piedras, ramas, guijarros, etc.

▶ Algunas de las palabras que puedes usar son: «suave», «rugoso», «espinoso», «blando», «duro», «pegajoso», etc.

En la cocina

Desarrolla las habilidades de razonamiento

▶ Selecciona tres o cuatro utensilios de cocina, como por ejemplo, unas pinzas, un colador, una espumadera y un cucharón.

▶ Explícale a tu hijo qué es cada objeto y para qué sirve, mientras lo toca. Puedes simular su funcionamiento para que lo comprenda mejor.

▶ Pon todos los utensilios en una bolsa de plástico opaco.

▶ Dile que introduzca la mano y palpe uno.

▶ Pregúntale si sabe de cuál se trata.

▶ **Nota:** Si es posible, muéstrale el funcionamiento de cada utensilio mientras cocinas.

El sentido del tacto

La mariposa

Desarrolla el movimiento creativo

▶ Sienta a los niños en círculo y elige uno para que sea la mariposa.

▶ La mariposa aleteará con los brazos y «volará» fuera del círculo.

▶ Cuando «aterrice», tocará con mucha suavidad la espalda de otro niño, que se convertirá en la mariposa. Los demás niños del círculo deberán estar muy atentos al leve tacto en la espalda.

▶ Recita el siguiente poema mientras la mariposa está volando:

La mariposa

Mariposa, mariposa, sal volando
en este hermoso día de verano.
Vuela, vuela por el cielo azul,
y cuando te poses, le tocará a (nombre del niño).

Juegos para aprender y estimular los sentidos

Rompecabezas

Desarrolla las habilidades cognitivas

- Se trata de componer un rompecabezas de encaje valiéndose únicamente del tacto.
- Compra un rompecabezas sencillo, de cuatro a seis piezas, a ser posible con el borde alto.
- Resuelve el rompecabezas con tu hijo.
- Ahora intenta hacerlo sin mirar las piezas. Enséñale a identificarlas palpando su forma para adivinar si encajará.

Siente la forma

Enseña cosas acerca de las formas

- Recorta varias figuras geométricas de cartulina rígida o espuma de poliuretano, tales como un círculo, un cuadrado, un triángulo y otras formas con las que tu hijo esté familiarizado.
- Dile que cierre los ojos y que palpe la forma para saber de qué figura se trata.
- **Variación:** Complica un poquito más esta actividad recortando las mismas figuras de diferentes tamaños.

Juguetes y canciones

Desarrolla la memoria

JUEGO DE GRUPO

- Sienta a los niños en círculo.
- Pon varios juguetes en el centro y pide a los niños que los nombren.
- Luego pon todos los juguetes en una bolsa grande y deja que todos los vayan tocando, uno por uno, mientras se pasan la bolsa.
- A medida que cada niño toque uno de los juguetes, todos sus compañeros cantarán estos versos con la música de «Frère Jacques».

  ¿Qué juguete? ¿Qué juguete?
  Dinos cuál, dinos cuál.

- El niño que esté tocando el juguete dirá su nombre y lo extraerá de la bolsa.

¿De qué es?

Desarrolla las habilidades de razonamiento

- Pega diferentes materiales u objetos en fichas de archivo, recubriéndolas por completo. Puedes usar botones, cintas, hojas, ramitas, plástico de burbujas, pedacitos de espuma de poliuretano, retales de terciopelo, etc.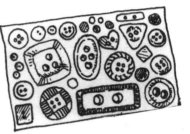
- Pon las fichas en una bolsa opaca, dile a tu hijo que introduzca la mano, tome una e identifique de qué se trata mediante el tacto.

Combinaciones complejas

Enseña cosas acerca de las formas

- Recorta dos figuras del mismo motivo, de cartulina o espuma de poliuretano, una más grande que la otra.
- Recorta más figuras iguales, siempre una más grande que la otra.
- Dile a tu hijo que cierre los ojos e intente combinar las dos figuras iguales: la grande y la pequeña.
- Este juego requiere razonamiento cognitivo y un sentido del tacto muy preciso.

El sentido del tacto

Calcetines

Desarrolla la memoria

- Reúne cuatro calcetines y márcalos del 1 al 4.
- Pon un objeto en cada calcetín para que tu hijo lo toque e identifique (taco de madera, moneda, lápiz, etc.).
- Dale una hoja de papel dividida en cuatro partes. Numera cada sección.
- Explícale que, a medida que palpe los calcetines, deberá ir dibujando el objeto que cree que contiene.
- Una vez terminados los dibujos, vacía los calcetines y comprueba si ha reconocido su contenido.

«¡Cabeza arriba los siete!»

Para divertirse

JUEGO DE GRUPO

- Elige a siete niños del grupo.
- Diles a los demás que se sienten, con los ojos cerrados y la cabeza gacha.
- **Nota:** Debe haber espacio suficiente para moverse alrededor de cada niño.
- Di a los siete que caminen poco a poco alrededor de los niños sentados. Cada uno de los siete tocará a uno de los niños que están sentados, los cuales (siete de los que estaban sentados con la cabeza gacha) levantarán una mano sin moverse ni cambiar de posición.
- El primer grupo de siete niños se apartará del grupo y dirá: «¡Cabezas arriba los siete!».
- Cada niño tocado tendrá una oportunidad para adivinar quién del primer grupo de siete lo tocó.
- Si uno acierta, ocupará el puesto de quien lo tocó. De lo contrario, quien lo hizo permanecerá en el primer grupo de siete niños.
- Es divertidísimo cuando juegan todos a la vez.

«¡Los siete arriba!»

Para divertirse

JUEGO DE GRUPO

- ◗ Sienta a todos los niños con la cabeza gacha.
- ◗ **Nota:** Debe haber espacio suficiente para moverse alrededor de cada niño.
- ◗ Pídeles que levanten una mano con el pulgar extendido.
- ◗ En silencio, elige a un niño; será «LA COSA».
- ◗ LA COSA caminará sigilosamente alrededor de los demás y tocará el pulgar de seis compañeros, cada uno de los cuales se levantará y se dirigirá al frente de la habitación.
- ◗ Cuando los seis niños estén de pie, juntos con LA COSA, gritará: «¡Los siete arriba!».
- ◗ Todos los niños del grupo levantarán la cabeza e intentarán adivinar quién, de los siete que están de pie, es LA COSA.

CAPÍTULO 4

EL SENTIDO DEL Olfato

El sentido del olfato desempeña una importante función en el bienestar y calidad de vida. Olemos a través de la nariz. Cuando respiramos, los olores penetran a través de la nariz. Casi todo tiene su propio olor, incluyendo las flores, perfumes, etc. El sentido del olfato nos sitúa en armonía con la naturaleza, nos advierte del peligro y potencia nuestra conciencia de las personas, lugares y cosas.

Las actividades de este capítulo exploran la nariz, cómo usarla para oler y cómo el sentido del olfato contribuye al disfrute y el aprendizaje en la vida.

Aspectos interesantes acerca de la nariz, los olores y el olfato

- Cuando la nariz funciona a su máximo potencial, es posible distinguir entre 4.000 y 10.000 olores.
- A medida que envejecemos, la capacidad olfativa declina. Así pues, el sentido del olfato de los niños está más desarrollado que el de sus padres o abuelos.
- Los pies huelen a causa de la transpiración, propiciando la formación de bacterias, lo cual provoca mal olor. Lávate los pies y ponte calcetines limpios para evitarlo. También es una buena idea cambiar de calzado a diario y dejar orear los zapatos veinticuatro horas.

153

Aspectos interesantes acerca de los animales y su nariz

▪ Los perros tienen un millón de células olfativas en cada fosa nasal, cien veces más grandes que las humanas.

▪ Los sabuesos tienen el sentido del olfato más desarrollado. Son capaces de reconocer a una persona o animal por su olor. Los sabuesos aprenden a seguir el rastro de las personas olfateando una prenda de vestir u objeto que llevaba, y la encuentran siguiendo ese olor. Son muy eficaces en la búsqueda de personas perdidas.

▪ Los jaguares son animales nocturnos que dependen de su sentido del olfato para detectar a sus presas en la oscuridad.

▪ Los pandas gigantes suelen vivir solos, y utilizan su sentido del olfato para encontrarse en los espesos bosques de bambú.

▪ La visión del rinoceronte es muy deficiente, dependiendo del olfato para reunirse con sus congéneres, incluso cuando se hallan a grandes distancias.

▪ Las gacelas usan el sentido del olfato para detectar a los depredadores.

▪ Los elefantes se valen de una nariz muy larga, la trompa, para olfatear el aire y detectar cualquier peligro en el entorno.

Canta esta «canción del olfato» con una música conocida.

¿Tienes la nariz muy larga?
¿Se bambolea aquí y allá?
¿Puedes dar un buen tirón?
¿Puedes dar un empujón?
¿Puedes cargártela al hombro?
¡Qué sorpresa! ¡Vaya asombro!
¿Tienes la nariz muy larga?
¿Se bambolea aquí y allá?

Olor y sabor en equipo

Enseña cosas acerca del sabor

▶ La mayoría de la gente sólo piensa en la lengua a la hora de saborear, pero lo cierto es que sería imposible hacerlo sin la ayuda de la nariz.

▶ El olor y el sabor van de la mano, ya que el olor de los alimentos nos permite saborearlos mejor.

▶ Invita a tu hijo a paladear un pedazo de fruta concentrándose en su sabor. Ahora, dile que se pince la nariz y pruebe otro pedazo. Pregúntale si ha advertido alguna diferencia.

▶ ¡Es una suerte tener nariz!

Nariz, nariz

Enseña vocabulario

▶ Usa el sentido del olfato para describir y comparar los sabores siguientes:

Nuez moscada
Jengibre
Canela
Clavo

¿El olor cambia el sabor?

Enseña cosas acerca del sabor

- Pon tres trocitos de piña y una rodaja de limón en un plato, con un mondadientes en cada pieza.
- Acerca la rodaja de limón a la nariz de tu hijo.
- Dile que coma un trocito de piña mientras huele el limón.
- Ahora aleja un poco el limón de su nariz mientras come otro pedacito de piña. Pregúntale: «¿Sabe igual la piña?».
- Pon de nuevo la rodaja de limón en el plato y dile que coma el último trocito de piña. ¿Cómo sabe?

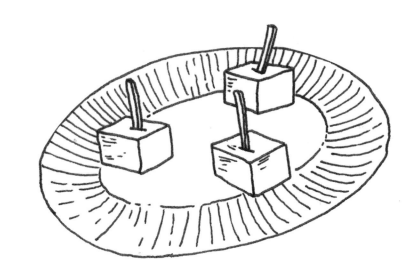

Hierbas

Desarrolla la memoria

- Selecciona dos o tres variedades de hierbas aromáticas. Las encontrarás en el supermercado. Puedes probar con perejil, estragón, eneldo, salvia y romero.
- Frota con suavidad una hierba en la muñeca de tu hijo y dile que la huela.
- Haz lo mismo con las hierbas restantes.
- Ahora frota una hierba en tu muñeca y dile que intente recordar e identificar su olor.

«Nariz» en diferentes idiomas

Enseña a decir esta palabra en otras lenguas

- Aprende la palabra «nariz» en diferentes idiomas:
  - En inglés se dice «nose».
  - En francés se dice «nez».
  - En italiano se dice «naso».
- Construye una frase relacionada con la nariz sustituyendo la palabra «nariz» por su equivalente en distintos idiomas. Por ejemplo, «Aquí está mi *naso*», y señala la nariz, o «Mi *nez* es muy importante».

Camiseta

Desarrolla la conciencia del olfato

- Explica a tu hijo que cada persona tiene su propio olor.
- Ponle una camiseta limpia; deberá llevarla unas cuantas horas. Luego quítasela y mézclala con otras camisetas limpias.
- Véndale los ojos.
- Valiéndose únicamente del sentido del olfato, pídele que encuentre la camiseta que ha llevado. ¡No vale tocar!

El olor nos protege

Enseña cosas acerca de la seguridad

- Enciende una cerilla y luego apágala.
- Dile a tu hijo que huela el aire y que describa el olor.
- Explícale que los olores nos advierten del peligro. Por ejemplo, el olor a humo en un incendio, el olor podrido de los alimentos caducados y el olor a gas en el caso de un escape.
- Anímalo a pensar en otros olores que nos protegen, actuando a modo de signos de alerta de que algo anda mal.
- Dile que el sentido del olfato nos mantiene a salvo. Pregúntale: «¿Cómo crees que nos protege del peligro? Si hueles a humo, qué deberías hacer?».

Ambientadores

Enseña cosas acerca de los olores

- Introduce varias cánulas de clavo (especia aromática) en una naranja para elaborar un ambientador casero.
- Ata una cinta alrededor de la naranja, rematándola con un bucle en la parte superior. Cuelga la naranja.
- También puedes envolverla en una malla y luego introducir el clavo. Quedará más decorativo. ¡Huele de maravilla!

Flor

Desarrolla las habilidades motoras de precisión

- Pega un molde de papel para magdalenas en una hoja de cartulina.
- Dile a tu hijo que pegue varias bolitas de algodón en el centro del molde. Ayúdalo si es necesario.
- Sugiérele que dibuje tallos verdes a los lados del molde para que parezca una flor.
- Luego dile que pulverice las bolitas de algodón con un perfume provisto de atomizador (diluye el perfume y vigila al niño mientras lo hace).
- Ahí tienes una preciosa flor fragante.

Velas aromáticas

- Lleva a tu hijo a una tienda especializada en velas.
- Dile que huela todos los aromas y pregúntale cuántos es capaz de identificar.
- Haz una lista de los diferentes olores.
- Sugiérele que intente identificar otros productos que tengan el mismo olor. Por ejemplo, el jazmín está asociado a una flor y la menta a una planta.

Interpretar olores

JUEGO DE GRUPO

- Enseña a los niños a «representar» mediante la expresión facial el aspecto que tendrían al oler cosas. Por ejemplo, si estuvieran oliendo flores, ¿qué cara pondrían?
- Interpreta reacciones faciales y otros gestos ante determinados olores, tales como flores, humo, perfume, huevos podridos y pies malolientes.
- Anímalos a adivinar qué estás oliendo por la expresión de tu rostro.
- Invierte los roles y deja que, por turnos, representen el aspecto que tendrían al oler cosas.

El sentido del olfato

161

Al mercado

Enseña cosas acerca de la fruta y las verduras

- Lleva a tu hijo al mercado.
- Dile que disfrute oliendo los maravillosos aromas de la fruta, las verduras, las hortalizas y las flores.
- Enséñale a oler una fruta para saber si está madura.
- Recita el siguiente poema:

Al mercado, al mercado
para comprar un cerdito.
Una vez en casa, una vez en casa,
pronto estará gordito.

Oliendo por el camino

Enseña vocabulario

- Camina por la casa, por la calle o el parque.
- Pide a tu hijo que describa lo que vaya oliendo.
- Anota sus palabras.
- Háblale de lo que ha olido.
- Pregúntale si los olores eran agradables, desagradables, dulces, etc.

Olores que nos gustan y olores que no nos gustan

Desarrolla las habilidades de razonamiento

JUEGO DE GRUPO

- Confecciona una lista, con los niños, de cosas que huelen bien, tales como flores, perfumes, jabones, virutas de chocolate, el césped recién segado, etc.
- Luego haz otra lista de cosas cuyo olor les resulte desagradable, o incluso peligroso para la salud, como por ejemplo, ajo, humo, alimentos podridos y leche agria.
- Pregúntales si todos están de acuerdo en lo que huele bien y lo que huele mal.

Recordar olores

Desarrolla la memoria

- A menudo, los olores despiertan la memoria.
- Pregunta a tu hijo:
  - Si hueles un pedazo de tarta, ¿qué te recuerda?
  - Si hueles un perfume, ¿en qué piensas?
  - Si hueles a césped recién segado, ¿evoca algo en ti?
- Explícale que los olores pueden recordarnos cosas agradables y desagradables.

Descripción de olores

- Cita algunas palabras que describan olores, tales como afrutado, dulce, delicioso, amargo, podrido, etc.
- Pide a tu hijo que piense en cosas que podrían tener estos olores.
- Confecciona una lista de todo lo que dice.

¿Dónde está el olor?

Desarrolla las habilidades de razonamiento

- Haz una lista de lugares, objetos o eventos, tales como la cocina, la plaza, una piscina, una barbacoa familiar, fuegos artificiales, etc.
- Confecciona ahora, con tu hijo, otra lista paralela de los olores asociados a cada lugar, objeto o evento.
- Anímalo a pensar en otros lugares, objetos o eventos que tengan olores específicos.
- Añádelos a la lista.

El sentido del olfato

Fotos de olores

Enseña vocabulario

- Se parte de la actividad «Descripción de olores» (p. 165).
- Confecciona una tabla en una hoja de cartulina, escribiendo el nombre del olor a la izquierda y pegando una fotografía relacionada con el mismo a la derecha.
- Por ejemplo, escribe «afrutado» y pon una foto de un limón junto a la palabra; «aromático» junto a una foto de varitas de canela; o «limpio» acompañado de una foto de una pastilla de jabón.
- Dile a tu hijo que hojee revistas y recorte imágenes que combinen bien con cada olor.
- Selecciona las fotografías y pégalas en la tabla.

Arañar y oler

Enseña cosas acerca de los olores

- Lleva a tu hijo a la papelería y deja que elija unas cuantas pegatinas de «arañar y oler». Las hay de muy diferentes aromas.
- Comenta con él los dibujos de cada pegatina.
- Pega tres en una hoja de papel.
- Véndale los ojos, dile que las arañe y que luego te diga a qué huelen.
- Sugiérele hacer un dibujo asociado a cada olor junto a cada pegatina.

Lo que me gustaría oler

Desarrolla las habilidades motoras de precisión

- Anima a tu hijo a recortar fotografías de revistas y catálogos de cosas que le gustaría oler.
- Dile que las pegue en una hoja de cartulina.
- Comenta con él las imágenes usando palabras específicas para describir los olores, como por ejemplo, dulce, fuerte, a limpio, etc.

Dibujo-dulce

Desarrolla las habilidades motoras de precisión

- Dale a tu hijo una hoja de papel y lápices de colores o ceras.
- Sugiérele hacer un dibujo de algo dulce.
- Ayúdalo a recubrir el dibujo con adhesivo.
- Luego ayúdalo a esparcir gelatina en polvo sobre el adhesivo. Déjalo secar.
- Una vez seco, dile que arañe y huela el dibujo «dulce».

Huele el dibujo

Enseña cosas acerca de los colores

- Esparce un poco de la bebida en polvo Kool-Aid en una hoja de papel.
- Si coloreas la mezcla, el resultado final será mucho más atractivo.
- Enseña a tu hijo a hacer un dibujo con el dedo sobre la mezcla.
- Ayúdalo a pulverizar agua en el papel con un vaporizador y déjalo secar.
- Huele el dibujo.

¿Huele?

Enseña a diferenciar

- Pon tres recipientes pequeños sobre una mesa.
- Llénalos con un líquido transparente de colores diferentes (agua, vinagre y alcohol, por ejemplo).
- **Nota:** El llenado debe hacerlo un adulto.
- Dile a tu hijo que adivine qué recipientes huelen y cuáles no.

Nombra el olor

Desarrolla la concentración

▶ Explícale a tu hijo que va a usar el sentido del olfato.

▶ Pregúntale: «¿Qué utilizamos para oler?» (la nariz).

▶ Pídele que cierre los ojos y acércale primero una naranja y luego un limón a la nariz.

▶ Pregúntale si reconoce los dos olores.

▶ Cuando haya respondido, correcta o incorrectamente, puede abrir los ojos.

▶ Dile que mire por la habitación y cite cosas que tengan olor. Por ejemplo, ceras, pintura, jabón, etc.

Juegos para aprender y estimular los sentidos

Oler y olfatear

Desarrolla las habilidades combinatorias

- Vas a necesitar tarros de plástico limpios o recipientes de un tamaño similar.
- Crea «tarros aromáticos» llenando cada recipiente con algo que tenga un olor distintivo, como por ejemplo, limón, vinagre o menta.
- Pon una pequeña cantidad del material aromático en cada tarro.
- **Nota:** Echa bolitas de algodón en los recipientes para evitar salpicaduras.
- Cubre los tarros con papel para que no se pueda ver lo que hay en su interior.
- Dile a tu hijo que huela los tarros e identifique el aroma.
- Cambia el orden de los tarros y anímalo a identificarlos de nuevo.
- **Variación:** Prepara varios juegos de tarros aromáticos (por ejemplo, dos o tres de cada olor), mézclalos y sugiérele que los identifique y clasifique.

¿Qué necesitas oler?

Enseña cosas acerca de los animales

▶ Nosotros usamos la nariz para oler, pero otros animales se valen de la lengua, las antenas o incluso las patas para hacerlo.

▶ Independientemente de cuál sea el animal, todo sentido del olfato requiere tres cosas:
1. Algo que huela.
2. Algo con lo que oler.
3. Un cerebro que identifique el olor.

▶ Descubre, con tu hijo, cómo huelen las cosas los diferentes animales. Por ejemplo, los elefantes olfatean con la trompa; las mariposas con las antenas, y las ardillas con la nariz.

La madriguera de la mofeta

Enseña a seguir instrucciones

▶ Cuando se sienten amenazadas, las mofetas emanan un olor nauseabundo.

▶ Recita este poema:

Metí la cabeza en la madriguera de la mofeta
y la mofeta me dijo: «Pero ¿qué haces?
¡Quita de ahí! ¡Quita de ahí enseguida!
¡Aparta la cabeza! ¡Apártala!».

Pero no saqué la cabeza, y la mofeta dijo:
«Si no apartas la cabeza,
lamentarás no haberlo hecho.
¡Quita de ahí! ¡Quita de ahí enseguida!».
Y..., ¡uf!, ¡vaya si la saqué!

▶ Pregunta a tu hijo si sabe lo que ocurrió.

El elefante

Humor

▶ Diviértete con el siguiente poema que habla de un elefante. ¡Los elefantes tienen una trompa muy larga!

El elefante camina a pequeños pasitos (camina como un elefante, de cuatro patas, simulando bambolear la trompa).
Es muy grande y está muy gordito (levanta los brazos y luego extiéndelos a los lados).
No tiene dedos en las manos ni en los pies (señala los dedos de las manos y de los pies).
Pero..., ¡ay!, ¡su trompa qué grande es! (señala tu nariz).

El juego del olfato de los animales

Desarrolla la imaginación

JUEGO DE GRUPO

▶ Pon diferentes alimentos en otras tantas bolsas de plástico de cierre hermético.

▶ Elige alimentos que tengan olores diversos, tales como naranjas, atún, plátanos, etc.

▶ Explica a los niños que los animales buscan su alimento con el sentido del olfato.

▶ Siéntalos en círculo y diles que cierren los ojos.

▶ Pasa una de las bolsas de plástico a lo largo del círculo y deja que cada niño huela su contenido.

▶ Cuando un niño haya olido la bolsa, deberá decir: «Soy un (nombre de un animal) y huelo (nombre del alimento)», simulando la voz del animal. Por ejemplo: «Soy un tigre y huelo a naranja. Grrr».

▶ **Nota:** Terminado el juego, guarda los alimentos en el frigorífico o prepara una merienda.

El sentido del olfato

175

Hocicos

Enseña cosas acerca de los animales

- Recorta fotos de hocicos de animales.
- Muéstrale a tu hijo una de las fotos y pregúntale a qué animal pertenece.
- Anímalo a simular cada animal que identifique y a oler algo que le gustaría comer. Por ejemplo, un perro podría oler un hueso; un mono podría oler un plátano, y un caballo podría oler heno.
- Es un juego muy divertido, ¡sobre todo si el niño finge ser un cerdito!

Juegos para aprender y estimular los sentidos

CAPÍTULO 5

EL SENTIDO DEL Gusto

El sentido del gusto es crucial para gozar de buena salud. Una de las razones por las que las sensaciones gustativas y olfativas son importantes es que preparan el organismo para digerir los alimentos. Por ejemplo, oliendo y saboreando la comida estimula las glándulas salivales y la producción de jugos gástricos. Sin estos dos sentidos, el estómago no estaría preparado para recibir la comida, sufrirías trastornos digestivos y no aprovecharías los nutrientes.

Otra razón por la que el gusto es esencial para la salud es que facilita información acerca de los alimentos. Basta probar un alimento para detectar el olor que emana, advirtiendo en su caso de que se ha echado a perder y de que su ingesta puede ser perjudicial para el organismo.

Las actividades de este capítulo exploran la lengua, cómo se usa y cómo el sentido del gusto contribuye al disfrute y aprendizaje en la vida.

Aspectos interesantes acerca del sentido del gusto

▶ Las mariposas, las abejas y las moscas tienen receptores gustativos en las patas, provistos de células especiales que facilitan la percepción del sabor.

177

▶ Recita el siguiente poema:

¿La lengua te cuelga mucho?
¿Te llega hasta la barbilla?
¿La mueves mientras te escucho?
¿Si la guardas en la boca (mete la lengua en la boca)
y luego aprietas los labios,
se pone a bailar como loca
al oír música de radio?

Usa la lengua

Desarrolla la conciencia del cuerpo

- Pregunta a tu hijo: «¿Podrías comer un helado sin la lengua?».
- La lengua nos ayuda a hacer muchas cosas, incluyendo:
  - Masticar (simula masticar).
  - Tragar (simula tragar).
  - Saborear (simula saborear algo).
- Explícale cómo la lengua hace posible cada una de estas acciones.
- Pregúntale: «¿Qué más puedes hacer con la lengua?».

«Lengua» en diferentes idiomas

Enseña a decir esta palabra en otras lenguas

- Aprende el término «lengua» en diferentes idiomas:
  - En inglés se dice «tongue».
  - En francés se dice «langue».
  - En italiano se dice «lingua».
- Construye frases sobre la lengua y usa un idioma diferente en cada una. Por ejemplo, «Aquí está mi *langue*», y señala la lengua, o «Mi *tongue* es muy importante».

El sentido del gusto

Esos bultitos en la lengua

Enseña a comparar

- Los bultitos en la lengua se llaman «papilas gustativas», y en su interior hay centenares de receptores del sabor.
- Dile a tu hijo que saque la lengua y mire sus papilas en un espejo.
- La punta de la lengua se encarga de identificar los sabores dulces, y los laterales, los agrios. El sabor salado se detecta en toda la superficie de la lengua, y las papilas situadas en la parte posterior identifican los sabores amargos.
- Toca las diferentes partes de la lengua y nombra cosas que tengan gustos que puedan ser detectados por cada parte: dulce, amargo, salado y agrio.

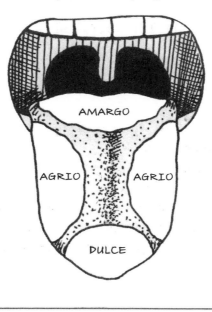

Dulce o agrio

Enseña a comparar

- Llena medio vaso de papel de zumo de limón natural y otro de limonada embotellada (con azúcar añadido).
- Dale a tu hijo una bolita de algodón para que lo humedezca en el zumo de limón y que luego se toque la lengua con el algodón.
- Dile ahora que haga lo mismo con la limonada.
- Pregúntale si ha notado alguna diferencia en el sabor, uno dulce y otro agrio.

Otro juego de dulce o agrio

Desarrolla la concentración

- Es un juego similar al «Dulce o agrio» anterior.
- Llena medio vaso de papel de zumo de limón natural y cualquier otro líquido azucarado que no sea limonada embotellada.
- Dale a tu hijo una bolita de algodón para que lo humedezca en el zumo de limón y que luego se toque diferentes partes de la lengua.
- Dile ahora que haga lo mismo con el líquido azucarado.
- Pregúntale si ha notado alguna diferencia en el sabor. ¿Es más fuerte? ¿Es igual?

El sentido del gusto

181

¿A qué sabe?

Desarrolla la habilidad de resolución de problemas

- Pon en un plato una pizca de sal, un gajo de limón, una pizca de azúcar y un pedacito de rábano picante.
- Sugiere a tu hijo que los pruebe e identifique como «salado», «amargo», «dulce» o «agrio».
- Entre bocado y bocado, dale un trocito de apio para que lo mastique, se limpie la boca y elimine el sabor anterior.

«Sabor» a agua

Enseña cosas acerca del agua

▎ Echa agua del grifo, gaseosa o sifón, agua mineral y agua aromatizada en diferentes vasos de papel.

▎ Dile a tu hijo que los pruebe sucesivamente.

▎ Comenta con él las diferencias en el sabor.

Sabores cromáticos

Enseña cosas acerca de los colores

▎ Anima a tu hijo a probar alimentos de color rojo, tales como fresas, tomates, manzanas, pimiento rojo, etc.

▎ Repítelo con alimentos de otro color.

▎ Enséñale a confeccionar una tabla-arco iris de sabores con alimentos de múltiples colores.

Manzana

Enseña vocabulario

- Las manzanas tienen diferentes aromas cuyo sabor vale la pena probar.
- Elige tres variedades de manzana, como por ejemplo, Golden, Starking, Fuji, Pink Lady o Roja.
- Córtalas en cuatro partes.
- Dile a tu hijo que pruebe una parte de cada manzana y háblale de las diferencias en el sabor. Algunas son dulces y otras ácidas.
- Las texturas también son diferentes. Algunas son crujientes y otras más blandas.
- Si es posible, lleva a tu hijo a un puesto de fruta en el mercado o a la sección de frutería del supermercado y busca distintas variedades de manzanas.
- Si mojas un pedacito de manzana en miel, sabe riquísimo. A tu hijo le encantará.

Pudin cremoso de frutas

Enseña a combinar alimentos

- Dale a probar a tu hijo una fresa y un plátano.
- Luego mezcla 5 fresas, medio plátano, medio vaso de leche, 150 g de yogur y 4 cubitos de hielo en una batidora. Ya tienes el pudin.
- Pregúntale qué sabores es capaz de identificar en la mezcla.
- Pregúntale: «¿Destaca algún sabor sobre los demás?».

Chocolate

Desarrolla el lenguaje

- En México es habitual que los niños tomen chocolate en el desayuno. Prepáralo batiéndolo con un molinillo o Minipimer.
- Canta la «Rima tradicional» antes o después de beber leche chocolateada o chocolate a la taza caliente.
- Mientras cantas la rima, frota las palmas de las manos y simula batir el chocolate con el molinillo, repitiendo los versos más deprisa cada vez.

Rima tradicional

Uno, dos, tres, cho- (*cuenta con los dedos de la mano*)
uno, dos, tres, co-
uno, dos tres, la-
uno, dos, tres, te-
bate, bate, bate, bate
bate, bate chocolate (*frota las manos
como usando un molinillo*)

Caramelos de goma

Enseña cómo se combinan los sentidos

- Selecciona los caramelos por su sabor y ponlos en vasos de papel separados. Dale a tu hijo un vaso de caramelos de goma de un sabor determinado.
- Véndale los ojos y pídele que se pince la nariz mientras mastica uno y adivina su sabor.
- Ahora dile que se destape la nariz, siempre con los ojos vendados, y que coma otro caramelo del mismo vaso. ¿Identifica ahora su sabor?
- Pregúntale: «¿Te ha costado identificar el sabor del caramelo con la nariz tapada?».
- Haz lo mismo con otros sabores.
- Explícale que el sentido del olfato y del gusto actúan al unísono.

El sabor en el espacio

Desarrolla las habilidades motoras de precisión

- Dile a tu hijo que es un astronauta y que se dispone a comer.
- Vierte medio sobre de polvo para pudin en una bolsa de plástico de cierre hermético. Echa a continuación una cantidad suficiente de leche en un vaso para prepararlo. Ayuda a tu hijo a verterla en la bolsa.
- Cierra la bolsa y anímalo a amasarla entre las manos para mezclar bien la leche y el polvo para pudin.
- Haz un pequeño orificio en una esquina de la bolsa y dile que succione el pudin.
- Pregúntale: «¿Sabe diferente el pudin en el espacio?».

La polka de los alimentos

Enseña vocabulario

▶ Recita los versos de la «Polka de los alimentos», adaptada de otra de Jackie Silberg.

▶ Pide a tu hijo que nombre los alimentos que ha probado cuando los oiga. E intenta prepararle algo mencionado en la canción que nunca haya probado.

Polka de los alimentos
Peras, melón, queso, uva,
caramelos y jamón.
Canelones, caracoles,
pollo frito, té y turrón.
Macarrones, espaguetis,
berenjenas con tomate,
arroz chino, a la cubana,
pescadillas y aguacate.
Patatas con judía verde,
salchichas con su mostaza,
un filete de ternera,
de chocolate una taza.
Alcachofas rebozadas,
huevos fritos o en tortilla,
ensalada de lechuga
y entre el pan una morcilla.
Zumo de melocotón,
sándwich de pavo trufado,
pastel de fresas con nata,
¡y eso sí que te ha gustado!

Hoy es lunes

Enseña los días de la semana

- Este poema es ideal para hablar del sabor.
- Después de recitarlo o de cantarlo improvisando una melodía, habla con tu hijo de los diferentes alimentos incluidos en el texto y de su sabor.
- Clasifícalos en salados, dulces, amargos y agrios.

Hoy es lunes

Hoy es lunes,
hoy es lunes,
comeremos queso fresco.
Si te gusta esta canción,
la cantaremos los dos.

Hoy es martes,
hoy es martes.
El lunes fue queso fresco,
hoy comemos chocolate,
Si te gusta esta canción,
la cantaremos los dos.

Hoy es miércoles,
hoy es miércoles,
tomaremos un buen caldo.
El martes fue chocolate,
el lunes fue queso fresco.
Si te gusta esta canción,
la cantaremos los dos.

Hoy es jueves,
hoy es jueves,
nos toca, pues, carne asada.
El miércoles fue un buen caldo,

el martes fue chocolate,
el lunes fue queso fresco.
Si te gusta esta canción,
la cantaremos los dos.

Hoy es viernes,
hoy es viernes,
hay filete de pescado.
El jueves fue carne asada,
el miércoles, un buen caldo,
el martes fue chocolate,
el lunes fue queso fresco.
Si te gusta esta canción,
la cantaremos los dos.

Hoy es sábado,
hoy es sábado,
el día del dinerito.
El viernes tocó pescado,
el jueves fue carne asada,
el miércoles, un buen caldo,
el martes fue chocolate,
el lunes fue queso fresco.
Si te gusta esta canción,
la cantaremos los dos.

Hoy es domingo,
hoy es domingo,
toca paseo por el parque.
El sábado, dinerito,
el viernes hubo pescado,
el jueves fue carne asada,
el miércoles, un buen caldo,
el martes fue chocolate,
el lunes fue queso fresco.
Si te gusta esta canción,
la cantaremos los dos.

Pica poco

- Esta especie de poema-trabalenguas es ideal para hablar del sabor.
- Pregunta a tu hijo si puede recitarlo sin equivocarse.

Pica poco
*Pica poco el paquetito
de galletas de quesito,
amarga más el magro
de este cerdo tan grasito.
Agrio es el grumo de té
que en mi bolsillo encontré.
Dulces las doce perdices,
pruébalas y me lo dices.*

Galletas de chocolate

Desarrolla el sentido del ritmo

▶ Disfruta del siguiente poema acerca de lo delicioso que resulta saborear unas ricas galletas de chocolate.

Galletas de chocolate

Galletas de chocolate, seguro que quieres más.
Puedes cocerlas al horno, y si no, las comprarás.
Pero hagas lo que hagas, déjalas en mi puerta
e iremos a comerlas todos juntos a la huerta.

Se preparan con azúcar, harina y mantequilla.
Quince minutos al horno y verás qué maravilla.
Lo que mágicas las hace
son las virutas, que se deshacen.

Galletas de chocolate, seguro que quieres más.
Puedes cocerlas al horno, y si no, las comprarás.
Pero hagas lo que hagas, déjalas en mi puerta
e iremos a comerlas todos juntos a la huerta.

Puedes comerte una, puedes comerte dos.
El primer bocado siempre será el mejor.
Ni una migaja en el plato dejarás.
Si empiezas, no pararás.

Galletas de chocolate, seguro que quieres más.
Puedes cocerlas al horno, y si no, las comprarás.
Pero hagas lo que hagas, déjalas en mi puerta
e iremos a comerlas todos juntos a la huerta.

Cuando muera, no quiero alas,
ni halo dorado ni toque de arpas.
Dame un libro, un buen fuego
y galletas cada día quiero.

Galletas de chocolate, seguro que quieres más.
Puedes cocerlas al horno, y si no, las comprarás.
Pero hagas lo que hagas, déjalas en mi puerta
e iremos a comerlas todos juntos a la huerta.

▶ Habla con tu hijo del sabor del chocolate y sugiérele que
piense en otros alimentos que contengan este producto.

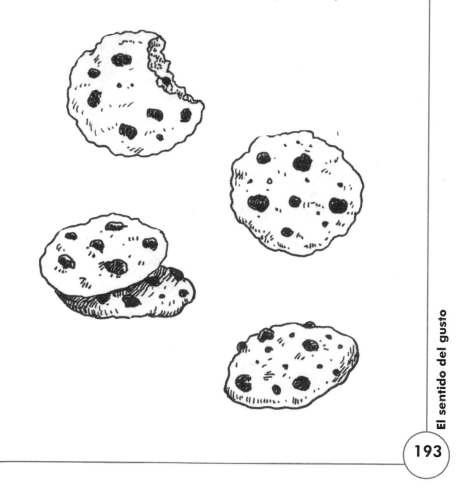

Inventario de sabores: ¿A qué sabe?

Enseña a clasificar

- Confecciona una tabla en una hoja de cartulina escribiendo «dulce», «amargo», «agrio» y «salado» en una columna a la izquierda.
- Busca fotos de alimentos en revistas y catálogos.
- Recorta varias fotos de alimentos y guárdalas.
- Elige una y pregúntale a tu hijo a qué categoría de sabor pertenece. Por ejemplo, un chicle debería clasificarse en la categoría de «dulce».
- Pega la foto del chicle junto a la palabra «dulce».
- Sigue con las demás fotografías.
- Puedes hacer más interesante este juego dándole a tu hijo a probar alimentos naturales para que los saboree y ordene por categorías.

Inventario de sabores	
Dulce	
Amargo	
Agrio	
Salado	

El libro de los sabores

Desarrolla las habilidades de razonamiento

▶ Busca en revistas y catálogos fotos de alimentos que tengan un sabor dulce.

▶ Recórtalas y pégalas, cada una de ellas, en una cuartilla de cartulina separada.

▶ Escribe «dulce» en la parte superior de la hoja.

▶ Haz lo mismo con alimentos amargos, salados y agrios.

▶ Pégalos, al igual que antes, en cuartillas de cartulina y etiqueta el sabor.

▶ Reúne las cartulinas con anillas metálicas o una cinta y habrás confeccionado tu propio Libro de los Sabores.

Sabores imaginarios

Desarrolla la imaginación

▶ Anima a tu hijo a asignar sabores imaginarios a las cosas del entorno.

▶ Recuérdale cuáles son sus sabores favoritos, tales como el del regaliz, el chocolate, la pizza, etc.

▶ Dile que imagine que las cosas que ve a diario tienen esos sabores que tanto le gustan, como por ejemplo, una puerta de chocolate, una silla de regaliz, una ventana de pizza, etc.

▶ Es un juego muy divertido.

El sentido del gusto

195

¿Cómo se llama este sabor?

Desarrolla el lenguaje

JUEGO DE GRUPO

▶ Siéntate en círculo con los niños.

▶ Pide al primero que diga a los demás algo que le gusta saborear.

▶ Continúa con los demás.

▶ Empieza de nuevo con el primer niño y pídele que diga algo que no le gusta saborear y por qué.

▶ Este juego es ideal para abrir un debate sobre el sabor.

Juegos para aprender y estimular los sentidos

CAPÍTULO 6

LOS
CINCO
Sentidos

La vida diaria está llena de experiencias sensoriales, y es fácil ofrecer a los niños pequeños la oportunidad de explorar el mundo a través de sus cinco sentidos. Anímalos a mirar, oír, oler, tocar y saborear cosas en su entorno.

Las actividades en este capítulo exploran cómo los cinco sentidos contribuyen al disfrute y el aprendizaje en la vida.

Aspectos interesantes
acerca de los cinco sentidos

- La longitud de la lengua del camaleón es el doble de la de su cuerpo.
- Los chimpancés pueden reconocerse a sí mismos en un espejo, pero los demás monos no.
- Alrededor del 10% de la población del mundo es zurda.
- Las personas que sufren hexadactilismo tienen seis dedos en una o ambas manos, o en uno o ambos pies.
- El roedor más grande del mundo es la capibara, un perro de agua amazónico parecido a un conejillo de Indias. Puede pesar alrededor de 3 kg y hace un ruido muy fuerte.
- El mamífero más pequeño del mundo es el murciélago abejorro de Tailandia, que pesa menos que una moneda y hace un ruidito muy suave.

- El calamar gigante, que vive en las profundidades oceánicas, tiene los ojos más grandes del reino animal.
- Las mariposas perciben el sabor con las patas.

Recita los siguientes poemas mientras tocas la parte del cuerpo relacionada con cada uno de los cinco sentidos.

Poema de los cinco sentidos, de Jackie Silberg
Cinco sentidos como todos he de tener.
Los oídos para oír y los ojos para ver.
Degusto con la boca y con la nariz huelo.
Toco con las manos y los pies, pero no vuelo.

Aquí están mis ojos, de Jackie Silberg
Aquí están mis ojos para mirarlo todo.
Y aquí mis oídos, si no me equivoco.
Con esta nariz huelo los alimentos,
que me llevo a la boca, ¡juro que no miento!

Soy yo
Tengo cinco dedos en cada mano,
diez dedos en los pies,
dos orejas, dos ojos, nariz y boca
para saborear mejor, ya lo ves.
Puedo aplaudir y acariciar con las manos,
y con los oídos todo lo oigo.
Mis ojos ven, huelo con la nariz
y mi boca puede decir: «Soy yo».

El juego de los cinco sentidos

Enseña a comparar

- Necesitarás dos recipientes pequeños con tapa.
- Llena uno de azúcar y otro de sal.
- Dile a tu hijo que abra los dos recipientes, que toque el azúcar y la sal, y que los describa al tacto.
- Pídele ahora que los huela y diga si huelen igual o diferente.
- Pregúntale: «¿Su aspecto es igual o diferente?».
- Agita los recipientes y escucha el sonido.
- Sugiérele probar el azúcar y la sal y pregúntale: «¿Tienen el mismo o diferente sabor?».
- Repítelo con otras dos sustancias de aspecto similar y aptas para el consumo.

¿Qué podemos tocar?
(vista y oído)

Desarrolla las habilidades de razonamiento

- Pregunta a tu hijo: «¿Qué podemos aprender del mundo con nuestro sentido del tacto?».
- Sigue formulándole otras preguntas, tales como:
  - ¿Puedes tocar la luna o las estrellas? ¿Que sentido usas para comprobar la presencia de la luna y las estrellas?
  - ¿Puedes tocar los truenos? ¿Qué sentido usas para experimentar un trueno?
  - ¿Puedes tocar una nube? ¿Qué sentido usas para experimentar una nube?

¿Qué sentidos usas?

(vista, oído, olfato, gusto y tacto)

Desarrolla la observación

JUEGO DE GRUPO

▶ Busca en revistas y catálogos fotos de ojos, orejas, narices, bocas (incluida la lengua) y manos.

▶ Recórtalas.

▶ Pega cada foto en una ficha de archivo.

▶ Di a cada niño que elija una ficha y pídele que diga qué sentido representa.

▶ Pregúntales lo que hacen con ese sentido. Por ejemplo, si uno ha elegido una ficha con un ojo, puede decir que usa el sentido de la vista para ver las nubes en el cielo.

▶ Si otro niño también ha elegido una ficha con un ojo, será interesante oír qué dice para ver cómo usa el mismo sentido de una manera diferente.

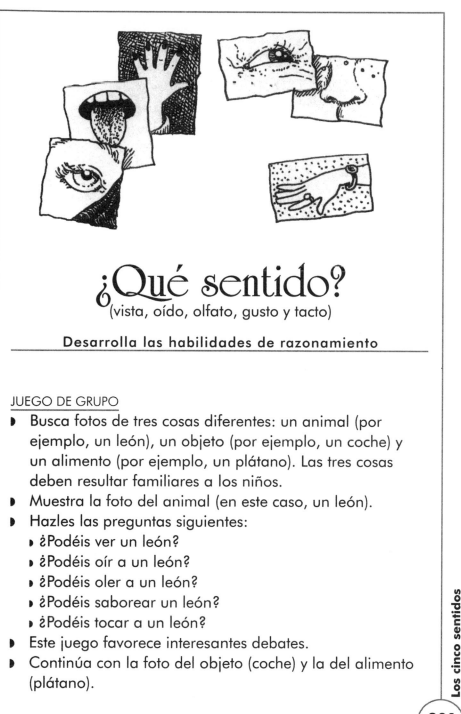

¿Qué sentido?
(vista, oído, olfato, gusto y tacto)

Desarrolla las habilidades de razonamiento

JUEGO DE GRUPO

‣ Busca fotos de tres cosas diferentes: un animal (por ejemplo, un león), un objeto (por ejemplo, un coche) y un alimento (por ejemplo, un plátano). Las tres cosas deben resultar familiares a los niños.

‣ Muestra la foto del animal (en este caso, un león).

‣ Hazles las preguntas siguientes:
  ‣ ¿Podéis ver un león?
  ‣ ¿Podéis oír a un león?
  ‣ ¿Podéis oler a un león?
  ‣ ¿Podéis saborear un león?
  ‣ ¿Podéis tocar a un león?

‣ Este juego favorece interesantes debates.

‣ Continúa con la foto del objeto (coche) y la del alimento (plátano).

Los cinco sentidos

Los cinco

(vista, oído, olfato, gusto y tacto)

Desarrolla la memoria

▸ Es un juego excelente para llamar la atención de tu hijo.

▸ Di las siguientes frases y realiza las acciones descritas:

Mis ojos miran.
Mis oídos escuchan.
Mi nariz olfatea.
Mi boca está cerrada.
Mis manos reposan a los lados.

▸ Repítelas a menudo. Tu hijo no tardará en aprenderlas de memoria y recitarlas contigo.

El cuerpo y los sentidos

(oído, olfato, gusto y tacto)

Desarrolla la conciencia corporal

▸ Nombra una parte del cuerpo y haz preguntas a tu hijo relacionadas con ella.

▸ El ejemplo siguiente se refiere a los dedos:
  ▸ ¿Puedes ver con los dedos?
  ▸ ¿Puedes oír con los dedos?
  ▸ ¿Puedes oler con los dedos?
  ▸ ¿Puedes saborear con los dedos?
  ▸ ¿Puedes tocar con los dedos?

▸ Continúa con otras partes del cuerpo.

Los cinco sentidos de la mano

(vista, oído, olfato, gusto y tacto)

Desarrolla el pensamiento creativo

▶ La mano ofrece múltiples oportunidades de explorar los cinco sentidos.

▶ **Tacto:** Con los ojos cerrados, toca el anverso y reverso de una mano con la otra. ¿El anverso es más suave que la palma? Toca las uñas. ¿Son suaves?

▶ **Vista:** Abre los ojos y observa la mano que acabas de tocar. ¿Distingues arrugas en los nudillos? ¿Ves las líneas en la palma de la mano?

▶ **Gusto:** Lame un dedo de la misma mano. ¿A qué sabe? ¿A zumo de naranja? ¿A chocolate? ¿A nada?

▶ **Olfato:** Huele el dedo que acabas de lamer. ¿Hueles algo?

▶ **Oído:** Por último, acerca la mano a la oreja y chasquea con los dedos o da una palmada. ¿Qué te dice el sonido que oyes?

De paseo con los cinco sentidos

(vista, oído, olfato, gusto y tacto)

Desarrolla las habilidades de razonamiento

- Sal de paseo con tu hijo y explícale cómo utiliza los cinco sentidos.
- Pregúntale: «¿Qué ves? ¿Qué oyes? ¿Qué hueles? ¿Qué puedes tocar? ¿Qué puedes saborear?».
- Empieza con el sentido del tacto. Dile que describa lo que siente al tocar una piedra, una hoja, etc., si es rugosa, áspera o suave.
- Luego pídele que describa lo que ve, huele y oye.
- Por último, plantéale un test de sabor, aunque realmente será difícil a menos que estés en un huerto de frutales. En cualquier caso, siempre puedes sacar la lengua y... ¡saborear el aire!

Cuéntalos

(vista, oído, olfato, gusto y tacto)

Enseña a contar

- Haz una tabla con cinco columnas.
- En la parte superior de cada columna escribe el nombre de uno de los sentidos y haz un dibujo o pega una foto que lo represente.

- Sal de paseo con tu hijo, y dile que cada vez que use un sentido, haga una marca en la columna correspondiente. Por ejemplo, ver un pájaro, oler a hierba, oír los coches al pasar, etc.
- De nuevo en casa, dile que cuente las veces que ha usado cada sentido.

La calabaza
(vista, olfato, gusto y tacto)

Desarrolla la observación

- Pregunta a tu hijo si sabe lo que hay dentro de una calabaza. Parte una y dile que mire en su interior: la pulpa y las semillas.
- Guarda las semillas. Hierve 2 vasos de semillas de calabaza en un cuarto de litro de agua, con 2 cucharadas de sal, durante 10 minutos. Pasa las semillas por el colador y añade una cucharada de mantequilla.
- Échalas en una fuente para el horno y cuécelas durante 30 minutos a 325 °C, removiendo a menudo.
- Una vez tostadas, son deliciosas.
- Es una extraordinaria experiencia sensorial que usa los sentidos de la vista, el olfato, el gusto y el tacto.
- **Nota:** Si quieres sembrar semillas de calabaza en una maceta o en el jardín, reserva unas cuantas para plantarlas.

Los sentidos y la música

(vista, oído y tacto)

Enseña a apreciar la música

- Pregunta a tu hijo:
  - ¿Qué sentido usas para escuchar la música?
  - ¿Adónde puedes ir para escuchar música?
  - ¿Dónde puedes ver músicos interpretando música?
- Escucha con tu hijo música de diferentes estilos.
- Si es posible, llévalo a un concierto.

Comparando sentidos

(vista, oído y olfato)

Desarrolla la habilidad de formular preguntas

- Recorta dos fotos de niños de una revista.
- Compara los ojos en cada foto, y comenta con tu hijo su forma, tamaño y color.
- Pregúntale: «¿Qué crees que está mirando este niño?».
- Compara las narices y comenta con él su forma y tamaño.
- Pregunta: «¿Qué crees que podrían estar oliendo?».
- Compara ahora las orejas en cada foto y comenta con tu hijo su forma y tamaño.
- Pregunta: «¿Qué crees que están oyendo estos niños?».

Con o sin manos

(vista, oído, olfato, gusto y tacto)

Desarrolla la conciencia de los sentidos

▶ Explícale a tu hijo lo que pueden hacer las manos y haz una lista de sus ideas. Por ejemplo, sujetar algo, vestirse, cepillarse los dientes o arrugar papel.

▶ Háblale ahora de lo que se puede hacer sin manos y haz una lista de ideas. Por ejemplo, soplar pompas de jabón, oler el chocolate, escuchar con los oídos y saborear con la boca.

Las partes del cuerpo

(vista, oído, olfato, gusto y tacto)

Desarrolla las habilidades de escucha

JUEGO DE GRUPO

▶ Es un bonito juego que ayuda a los niños a recordar qué parte del cuerpo está asociada a cada sentido.

▶ Cuando nombres un sentido, deberán mover la parte del cuerpo que usa ese sentido. Por ejemplo, si dices «vista», los niños parpadearán.

▶ Continúa con «oído» (moverán las orejas), «olfato» (moverán la nariz), «gusto» (sacarán la lengua) y «tacto» (moverán las manos).

Los cinco sentidos y el maíz

(vista, oído, olfato, gusto y tacto)

Desarrolla la observación

- ▶ Prepara palomitas de maíz.
- ▶ Mientras el maíz estalla, háblale a tu hijo de los diferentes sentidos que estás usando durante la cocción. Puede olerlo, oírlo y verlo.
- ▶ Cuando las palomitas estén listas, puede tocarlas y saborearlas.

Señala el sentido

(vista, oído y tacto)

Desarrolla las habilidades de escucha

JUEGO DE GRUPO

- ▶ Explica a los niños que dirás una frase que usa uno de los cinco sentidos y les pedirás que señalen la parte de su cuerpo que se encarga de ese sentido. Por ejemplo, en el caso del tacto, agitarán las manos o los pies.
- ▶ Veamos algunos ejemplos:
  - ▶ «¡Oh, mira qué cielo más bonito» (*los niños señalarán los ojos*).
  - ▶ «¡Qué suave es la hierba!» (*los niños señalarán las manos o los pies*).
  - ▶ «¿Oyes cómo cantan los pájaros?» (*los niños señalarán las orejas*).
- ▶ Ahora elige a un niño y dile que diga una frase, mientras los demás señalan la parte de su cuerpo que usa el sentido mencionado en la frase.

Juegos para aprender y estimular los sentidos

Cara de papel

(vista, oído, olfato y gusto)

Enseña a contar

- ▶ Dibuja una cara en un plato de papel.
- ▶ Dale a tu hijo lápices de colores o ceras y dile que dibuje las orejas, la nariz, los ojos y la lengua.
- ▶ Dale hebras de lana para el pelo.
- ▶ Háblale de cada rasgo de la cara y de cuál es el sentido asociado al mismo.
- ▶ **Variación:** Recorta rasgos faciales en revistas y crea caras con los recortes.

El poema de los sentidos

(vista, oído, olfato, gusto y tacto)

Desarrolla la conciencia corporal

▶ Recita el poema siguiente mientras tu hijo toca la parte del cuerpo asociada a cada acción:

Los ojos en mi cabeza pueden ver, ver, ver.
Miran y miran y miran.
Los ojos en mi cabeza pueden ver, ver, ver
todos los días.

Versos adicionales
Las orejas en mi cabeza pueden oír, oír, oír...
La nariz en mi cabeza puede oler, oler, oler...
La lengua en mi boca puede saborear, saborear, saborear...
Las manos en mis brazos pueden tocar, tocar, tocar...

La poesía y los sentidos

(vista y oído)

Desarrolla las habilidades lingüísticas

▶ El siguiente poema es la traducción y adaptación de un extracto de «Flight the Second: A Day of Sunshine», de Henry Wadsworth Longfellow.
▶ Recita estos versos. Luego sal de paseo con tu hijo y dile que use los sentidos de la vista y el oído para mirar los árboles y escuchar el viento.
▶ Explícale el significado de las palabras.

Oigo el viento entre los árboles
interpretando sinfonías celestiales.
Veo doblarse ramas sin cuento
como las teclas de un maravilloso instrumento,
como las teclas de un maravilloso instrumento.

Día verde

(vista, oído, olfato, gusto y tacto)

Enseña cosas acerca de los colores

▶ Esta divertida actividad se puede adaptar a cualquier color. Veamos a continuación algunos ejemplos para algo «verde» en cada sentido.

  ▶ Vista: Busca un insecto de color verde, hoja, gusano, alga o trébol.

  ▶ Oído: Busca una rana en un estanque o simula que eres una rana, saltando y croando.

  ▶ Olfato: Prepara una ensalada verde y huele los ingredientes.

  ▶ Gusto: Saborea un pepinillo en vinagre. ¿Es dulce o agrio?

  ▶ Tacto: Siéntate en la hierba y siéntela en todo el cuerpo.

▶ Finalmente pregunta: «Si pudieras ser verde (o de cualquier otro color), ¿qué serías y por qué?».

Adivinanzas
(vista, oído, olfato, gusto y tacto)

Desarrolla las habilidades de razonamiento

) Diviértete con tu hijo resolviendo estas adivinanzas relacionadas con los sentidos:

) ¿Qué tiene ojos y no puede ver? (la patata).
) ¿Qué tiene orejas y no puede oír? (la planta del maíz).
) ¿Qué tiene lengua y no puede saborear? (una zapatilla).
) ¿Qué tiene manos y no puede tocar? (un reloj).
) ¿Qué tiene nariz y no puede oler? (la nariz de un avión).

Preguntas acerca de los cinco sentidos
(vista, oído, olfato, gusto y tacto)

Desarrolla las habilidades lingüísticas

) Recorta fotos de alimentos en revistas.
) Muéstrale una foto a tu hijo (fresas, por ejemplo) y pregúntale:

) ¿Qué aspecto tiene?
) ¿Cómo suena? (¿Qué sonido hace al morderla?)
) ¿Cómo huele?
) ¿A qué sabe?
) ¿Cómo es al tacto?

) Para concluir la actividad, prepárale ese alimento como merienda o cena.
) Repítelo con las demás fotos.

Comparación
de sentidos
(vista, oído, olfato, gusto y tacto)

Enseña a comparar

▶ Recorta fotos de animales y personas en revistas.

▶ Compara las partes del cuerpo de los animales y las personas asociadas a los cinco sentidos.

▶ ¿Son iguales las orejas? Pregúntale lo mismo en relación a la nariz, los ojos, la lengua y las manos o garras, pezuñas o patas.

▶ Es una forma excelente de iniciar un debate acerca de los sentidos.

▶ Pega fotos de animales y personas, unas junto a otras, y une con líneas las partes equivalentes de su cuerpo.

Cara con pizza

(vista, olfato, gusto y tacto)

Enseña técnicas culinarias

- Dale a tu hijo una base para pizza en un plato de papel.
- Ayúdalo a ponerle salsa de tomate. Háblale de su olor y consistencia.
- Ayúdalo ahora a añadir queso y pregúntale qué tacto tiene y a qué sabe.
- Reúne varios ingredientes para hacer la cara, tales como aceitunas, pimientos, rodajas de tomate, etc. A medida que añadas cada ingrediente, háblale de su aspecto, tacto, olor y sabor. Pueden ser suaves, duros, escurridizos, abultados, etc.
- Cuando la cara esté terminada, mete la pizza en el horno microondas y cuécela hasta que el queso se haya fundido. ¡A comer!
- **Nota:** Lávate siempre las manos antes de manipular alimentos.

La primavera está llegando

(vista, oído, olfato y tacto)

Enseña cosas acerca de la poesía

▶ Sal de paseo con tu hijo en un hermoso día de primavera y dile que huela las flores, que escuche el canto de los pájaros, que mire la hierba y sienta el aire cálido en la cara. Háblale de los sentidos que está usando.

▶ Recita el siguiente poema:

La primavera está llegando, adaptado por Jackie Silberg

Llega la primavera,
llega la primavera.
¿Cómo crees que lo sé?
Huelo de las flores la fragancia primera,
eso tiene que ser.

Llega la primavera,
llega la primavera.
¿Cómo crees que lo sé?
Los pájaros cantan
   en la arboleda,
eso tiene que ser.

Llega la primavera,
llega la primavera.
¿Cómo crees que lo sé?
La hierba crece verde en la pradera,
eso tiene que ser.

Llega la primavera,
llega la primavera.
¿Cómo crees que lo sé?
La brisa acaricia de una manera...,
¡seguro que eso es!

Los cinco sentidos

215

Juego del espejo

(vista, oído, olfato y gusto)

Desarrolla las habilidades lingüísticas

- Dile a tu hijo que se mire en un espejo.
- Sugiérele que piense en cosas que puede hacer con la cara mientras se está mirando. Veamos algunas ideas:
  - Sacar la lengua.
  - Rodar los ojos.
  - Mover las mejillas.
  - Mover la nariz.
  - Mover las orejas.
  - Sonreír.

Marioneta

(vista, olfato y gusto)

Desarrolla las habilidades de escucha

- Con una marioneta, dale instrucciones a tu hijo para que haga cosas usando sus sentidos.
- Veamos algunos ejemplos: tocar los ojos, tocar la nariz, sacar la lengua, mover las manos y oler las flores.
- Procura que sean cosas divertidas que pueda hacer con uno o todos los sentidos.

Preguntas acerca de los sentidos

(vista, oído y gusto)

Desarrolla la conciencia sensorial

JUEGO DE GRUPO
- Sienta a los niños en círculo.
- Diles que les harás algunas preguntas, y si alguna de ellas se ajusta a sus rasgos físicos, deberán alzar la mano.
- Haz preguntas acerca de los sentidos, como por ejemplo:
  - ¿Quién tiene los ojos castaños?
  - ¿A quién le gusta oír música rock?
  - ¿A quién le gustan los espárragos?
- Se divertirán averiguando qué niños se parecen entre sí o tienen aficiones similares.

El Libro de los Cinco Sentidos

(vista, oído, olfato, gusto y tacto)

Desarrolla las habilidades de razonamiento

- Prepara cinco hojas de papel.
- En la parte superior de cada hoja escribe el comienzo de una frase referente a un sentido:
  - Me gustaría ver...
  - Me gustaría oír...
  - Me gustaría oler...

- Me gustaría saborear...
- Me gustaría tocar...
- Anima a tu hijo a hacer dibujos que describan un sentido en cada hoja.
- Grapa las hojas y confecciona un Libro de los Cinco Sentidos.

Arte con galletas saladas

(vista, gusto y tacto)

Desarrolla la creatividad

- Pon en una fuente unas cuantas galletas saladas de diferentes formas.
- Sugiere a tu hijo modos de hacer diseños, figurillas y letras con las galletas.
- Dale una hoja de papel sobre la que componer un diseño.
- Cuando haya terminado, deja que se coma la galleta.
- Háblale del sabor de las galletitas saladas. Pregúntale: «¿Son saladas y crujientes?».

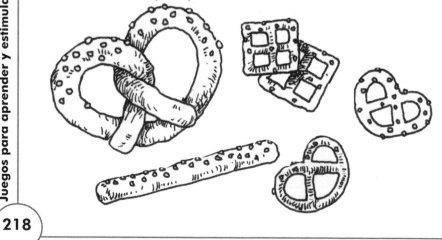

El círculo de los sentidos

(vista, oído, olfato, gusto y tacto)

Desarrolla la conciencia corporal

JUEGO DE GRUPO

▶ Siéntate con los niños formando un círculo y diles: «Tenemos cinco sentidos: vista, oído, olfato, gusto y tacto».

▶ Di: «Vemos con los ojos». Pregunta al primer niño: «¿Qué ves con tus ojos?». Todos escucharán la respuesta.

▶ Di: «Saboreamos con la lengua». Pregunta al siguiente niño: «¿Qué saboreas con tu lengua?».

▶ Continúa a lo largo del círculo con las siguientes preguntas:

  ▶ «Oímos con los oídos. ¿Qué oyes con tus oídos?»

  ▶ «Olemos con la nariz. ¿Qué hueles con tu nariz?»

  ▶ «Tocamos con las manos. ¿Qué tocas con tus manos?»

Una historia
de los cinco sentidos

(vista, oído, olfato, gusto y tacto)

Enseña vocabulario

- Elige un tema, una época del año o un evento especial y crea una historia con cinco frases, cada una relacionada con uno de los cinco sentidos.
- Cada frase hablará de uno de los sentidos. Por ejemplo, crea una historia acerca de la primavera.

Cuando llega la primavera, veo muchísimas cosas de color verde.
Cuando llega la primavera, oigo los insectos y los pájaros.
Cuando llega la primavera, huelo la hierba y las flores.
Cuando llega la primavera, saboreo las fresas.
Cuando llega la primavera, siento el aire cálido en la cara.

El osito de peluche

(vista, oído, olfato, gusto y tacto)

Desarrolla el sentido del ritmo

▶ Di estas frases y simula las acciones indicadas, que se asocian a los cinco sentidos.

Osito, osito mío, toca los árboles.
Osito, osito mío, saborea el queso.
Osito, osito mío, huele las flores.
Osito, osito mío, siente la lluvia.
Osito, osito mío, escucha a los pájaros.
Osito, osito mío, oye el timbre.
Osito, osito mío, huele la tarta.
Osito, osito mío, cierra los ojos.

Identifica los sentidos

(vista, oído, olfato, gusto y tacto)

Desarrolla la habilidad de asociación de palabras

▸ Esta actividad ofrece una extraordinaria oportunidad de empezar a aprender cosas acerca de los cinco sentidos.

▸ Haz una tabla con el dibujo de un ojo (sentido de la vista), una oreja (sentido del oído), una nariz (sentido del olfato), una boca (sentido del gusto) y una mano (sentido del tacto).

▸ Reúne fotografías relacionadas con las partes del cuerpo y su sentido correspondiente.

▸ Si lo consideras oportuno, escribe palabras en fichas de archivo que se refieran a una parte del cuerpo o a uno de los sentidos.

▸ Dile a tu hijo que elija una foto o palabra y que la pegue en la tabla, donde corresponda.

▸ Pregúntale por qué cree que esa foto o palabra debe ir en ese lugar de la tabla. Veamos algunos ejemplos de fotografías o palabras que podría incluir en la tabla:
  ▸ Bombilla, sol, linterna (ojo).
  ▸ Piano, músicos (oído).
  ▸ Flor, mofeta (nariz).
  ▸ Manzana, helado, hamburguesa (boca).
  ▸ Guante, lápiz (mano).

▸ Los sentidos trabajan juntos para recopilar información del mundo que nos rodea.

Identifica los sentidos

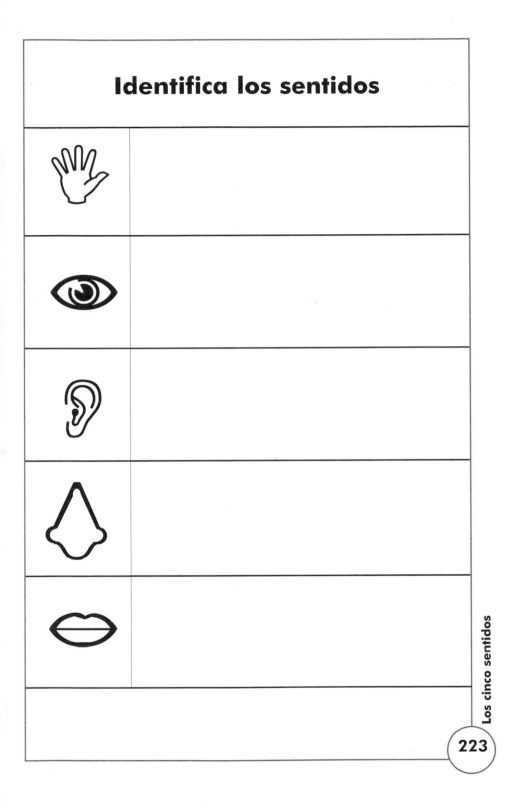

Acerca de la autora

Jackie Silberg, escritora galardonada, es autora de numerosos libros sobre desarrollo infantil, entre los que cabe destacar *Juegos para desarrollar la inteligencia del bebé*, *Juegos para desarrollar la inteligencia del niño de 1 a 2 años*, *300 juegos de 3 minutos*, *Juegos para hacer pensar a los bebés*, *Juegos para hacer pensar a los niños de 1 a 3 años* y *Juegos para desarrollar la inteligencia del niño de 2 a 3 años*, todos ellos publicados en esta misma colección. Máster en educación preescolar por la universidad estadounidense de Emporia (Kansas), organiza talleres y da conferencias por todo el mundo sobre primera infancia. Trabaja asimismo como instructora adjunta en la Emporia State University y la Universidad de Missouri en Kansas City. Con sus libros ha enseñado a miles de padres y maestros a convertir el aprendizaje en una experiencia divertida y estimulante. Reside en Leawood, Kansas.

0/0
12/2007